JN056605

FUTUREPROOF:
9 Rules for Humans in the Age of Automation
by Kevin Roose

AIが職場にやってきた
機械まかせにならないための9つのルール
Futureproof:
9 Rules for Humans in the Age of Automation
ケビン・ルース
Kevin Roose
田沢恭子・訳
草思社

父の思い出をしのんで

道が開いたら進め

——クエーカーのことわざ

AIが職場にやってきた

機械まかせにならないための9つのルール

目次

第2部　ルール

The Rules

行間の［　］は原注で、巻末に収録した

はじめに

少し前、サンフランシスコでパーティーに顔を出したときのことだ。男性が声をかけてきて、自分は小さなＡＩスタートアップの創業者だと言った。

こちらが『ニューヨーク・タイムズ』のテクノロジー担当記者だと知ったとたん、男性は自分の会社を売り込みにかかった。「深層強化学習」というＡＩの新技術を使って、製造業に革命を起こそうとしているらしい。

男性によると、現代の工場ではいわゆる「生産計画」を立てるのに大変な苦労を強いられているそうだ。どの機械で何曜日に何を生産するかを計算するのは、とにかく複雑な作業なのだ。今のところ、たいていの工場では人間の従業員が膨大なデータと顧客からの注文を調べて、プラスチック成形機で火曜日にＸ－ＭＥＮのフィギュアを作って木曜日にテレビのリモコンを作るか、それとも曜日を逆にするか、どちらがよいか判断している。胸が躍るような仕事ではないが、現代の資本主義を動かし続けるには欠かせない。そんなわけで企業は正しい判断を下すために、年間何十億ドルも支出している。

男性の会社のAIは、どんな工場についても何百万通りもの仮想シミュレーションを走らせ、最終的に最も生産効率の高い作業順序を特定できるという。このAIを使えば、生産計画を立てる人間のチームがまったく不要となり、彼らが使っている時代遅れのソフトウェアもほとんどがお払い箱だ。

「うちではこれを『老害駆除装置(ブーマーリムーバー)』って呼んでいるんです」と男性が言う。

「ブーマー……リムーバー……ですか?」と私は聞き返した。

「そう。もちろん正式な名称ではありませんよ。でもうちのお客さんの会社には、年齢が行って給料をたっぷりもらっているけれど、じつはもう必要ではない中間管理職がやたらといます。うちのプラットフォームを使えば、そういう人たちの仕事を代わりにやってくれるんです」

いささか飲みすぎたらしい彼は、ある顧客の話を始めた。その顧客は生産計画担当者を解雇する方法を何年間も探していたが、その仕事を完全に自動化することができずにいた。ところがこの男性の会社のソフトウェアを導入したらほんの数日で、効率を落とすことなく計画担当者のポストを廃止できたという。

私は軽い衝撃を覚え、計画担当者はどうなったかご存じですかと尋ねた。社内で異動したんですか、それともいきなりばっさりとクビですか? 今まで自分がやってきた仕事をロボットにやらせようと上司たちが画策していたことを、本人は知っていたんですか？
男性は笑い声を漏らした。
「どうですかね」と言うと、飲み物のお代わりを取りにバーへ向かった。

私は幼いころからずっとテクノロジーを愛している。暇さえあればウェブサイトを立ち上げたり、小遣いを貯めて新しいＰＣのパーツを買ったりしたものだ。コンピューターが人の仕事を奪うとか、社会の安定を揺るがすとか、ディストピア的な未来を連れてくるとか言う人がいれば、いつも軽蔑してきた。特にＡＩがいずれ人間を過去の遺物にするなどと予想を述べる人がいれば、思いきり馬鹿にしたものだ。この手のテクノロジー恐怖症の人たちが、任天堂のゲームが脳味噌を崩壊させると騒ぎ立てていたこともあったが、結局のところ、そんな不安はいつも思い過ごしだったではないか。
何年か前に『ニューヨーク・タイムズ』でテクノロジーに関するコラムを書き始めたころ、ＡＩについて耳にすることといえばほとんどが、私自身と同じ楽観的な見方を反映していた。シリコンバレーで出会ったスタートアップの創業者やエンジニアたちは、深層学習などの分野で起きている新たな展開が、世界をよくするさまざまなツールを作る助けとなっていることを教えてくれた。農家の収穫高を増やせるアルゴリズムや、病院の業務効率化を助けるソフトウェア、それに昼寝やNetflixを楽しんでいるユーザーを目的地まで運ぶ自動運転車などの話を聞かせてくれたものだ。

あのころはＡＩへの期待が膨れ上がって頂点に達した時期で、Google、Facebook、Apple、Amazon、Microsoftといったアメリカの巨大テクノロジー企業がこぞってＡＩの新製品の開発に数十億ドル規模の資金を投入し、機械学習アルゴリズムをなるべくたくさんのアプリに搭載しようとがんばっていた。ＡＩ研究チームには無限の裁量権が与えられ、一流大学でコンピューターサイエンスを専攻する教授や大学院生が途方もない厚遇で囲い込まれた（ある教授からこっそり聞いた話では、毎週金曜日だけの勤務で年俸１００万ドルというオファーを受けた同僚がいたらしい）。ＡＩを使ってポッドキャストからピザのデリバリーに至るまであらゆるものの革新を約束するスタートアップが、いたるところで巨額の資金を集めていた。少なくとも私が聞いた限りでは、そうしたＡＩを使った新しいツールが社会に恩恵をもたらすのは間違いない、というのが一般的な見方だった。

ところがここ数年、ＡＩや自動化*について書いてきた私は、３つの点からそれまでの楽観論を考え直すに至った。

第１に、テクノロジーのもたらした変化の歴史を調べるうちに、テクノロジストが好んで語る物語、たとえばテクノロジーは奪うよりも多くの職を常に生み出してきたとか、人間とＡＩは互いに競うのではなく協力するようになるといった話のなかには、偽りではないにせよ少なくともひどく不完全なものがあることに気づいた（これらの話とそこに開いている穴については、第1章で詳しく見る）。

第2の点として、AIと自動化が世界に及ぼす影響について記事を書くうちに、これらの技術を生み出した人たちの示した展望と、それを利用する人が現実の世界で実際に得る経験とのあいだには、著しいギャップがあることに気づいた。

私はYouTubeやFacebookといったソーシャルメディアのユーザーを取材した。彼らはこれらのプラットフォームのAIによるレコメンド（おすすめ）システムを利用して、おもしろくて役に立つコンテンツを見つけているつもりだったが、実際には誤情報や陰謀論のあふれる底なし沼に陥っていた。学校で生徒の学力を上げようとハイテクの「個別化学習」

＊用語について：本書では、以前は人間が行なっていた作業を実行するさまざまなデジタルプロセスを指す総称として「AIと自動化」という言葉を使う。コンピューターサイエンティストのあいだでは一般に、「AI」は自動化の下位区分の1つとされ、そこでは機械学習などの技術を使ってコンピューターが自分で適応や学習を行なうようにプログラムされると考えられている。そのためこの分野に詳しい人の多くは、実際には規則ベースの静的アルゴリズムにすぎないものが「AI」と呼ばれるのを嫌う。しかしこの区別はあいまいで、専門家ではない読者にはほとんど意味がないので、本書ではなるべく「AI」と「自動化」の両方を並べる方針をとる。また、「ロボット」という言葉はSF映画で手垢がつき、アンドロイドから食器洗い機まであまりにも幅広いものを指すことからこの語を嫌うエンジニアが多いので、本書ではその使用を最小限にとどめる。

システムを導入したのに、教師はタブレット端末の故障やソフトウェアの不具合に振り回されているという話を聞いた。配車サービスのUberやLyftのドライバーたちが、柔軟な働き方ができると聞いて今の仕事を選んだのに、実際には苛酷なアルゴリズムに支配され、長時間労働をこなすように仕向けられ、休憩すれば罰せられ、しょっちゅう賃金をごまかされると不満を漏らすのも聞いた。

これらの話から考えるに、ＡＩや自動化はどうやら一部の人（具体的には、テクノロジーを生み出してそこから利益を得る企業役員や投資家）には恩恵をもたらしているが、あらゆる人の暮らしをよくするのに役立っているわけではないらしい。

何かがおかしいという徴候の３つ目は、それまでで最も歴然としていた。これを認めたのは２０１９年、自動化についてもっと本音のやりとりを耳にするようになったころだった。

テクノロジー業界の発表会のステージや立派なビジネス誌の特集ページでは、楽観的で希望に満ちた対話が繰り広げられていたが、私の耳に届くのは、まったく違う話だった。「ブーマーリムーバー」というソフトウェアについて私に語った例のスタートアップ創業者と同類のエリートやエンジニアたちが、オフレコで意見を交わしていた。ＡＩと自動化の未来を間近で見守ってきた彼らは、これらのテクノロジーが向かう先について幻想を抱いてはいなかった。幅広い仕事や活動で人間を機械に置き換えることが可能だということを、あるいは近々そうなるであろうことを理解していた。アニメの『ルーニー・テューンズ』のキャラクターさながら、ドルマークの浮かんだ目をぎらつかせて、自社の労働力を完全に自動化しようと突っ走る者がいた。その一方で、大規模な自動化に対して政治的な反動が起きることを懸念し、犠牲者に配慮したおだやかな移行を目指す者もいた。ともあれ、犠牲者が生じるのは避けられないということは誰の目にも明らかだった。ＡＩや自動化が万人に恩恵をもたらすと考える者はいなかったが、ブレーキをかけようと考える者もいなかった。

自動化をめぐるまた別の見方に初めて触れたのは、スイスのダボスで毎年開かれる世界経済フォーラムの総会に行ったときだった。[1] ダボス会議は各国からエリートが集まって世界の最も切実な課題について話し合う高尚な会談の場とされているが、実態は資本主義の野外フェスに近い。大富豪や政治家、それに慈善家ぶった著名人が集い、そこに参加する自らの姿を誇示するための壮大な茶番だ。ゴールドマン・サックスのＣＥＯと日本の首相とミュージシャンのウィル・アイ・アムが一堂に会し、37ドルのサンドウィッチをつまみながら所得の不平等について話し合ってもまったくおかしくない場は、全世界を見渡してもほかにないだろう。

その年、私は『ニューヨーク・タイムズ』の上司に命じられて、フォーラムを取材しに行った。このときのテーマは「グローバリゼーション４・０」だったが、このほぼ無意味な言葉は、ＡＩと自動化のテクノロジーがもたらす新たな変革の波とともに到来する経済の新時代に向けて、ダボス会議の関係者が考え出したものだった。私は連日、「新たな市場アーキテクチャーの構築」とか「未来の工場」などと銘打ったパネルディスカッションに足を運んだ。そこでは有力な企業役員たちが、企業と労働者の双方を益する「人間中心のＡＩ」を築いていこうと誓い合っていた。

　ところが公式のイベントが終わって夜になると、参加者らは人道主義者の仮面を外し、真の目的を果たすための行動を開始した。贅を尽くした非公開の夕食会やカクテルパーティーで、彼らはＡＩを使って自社を洗練された自動収益マシンに変える方法を教えてくれとテクノロジー専門家に詰め寄る。ライバル企業が使っている自動化製品についての噂話で盛り上がる。「デジタルトランスフォーメーション」プロジェクトを支援してくれるコンサルタントと取引をまとめる。人間の労働への依存を縮小することによって、数百万ドルの支出削減を狙っているのだ。

　ある日、私はそんなコンサルタントの1人、モーヒト・ジョシと知り合った。大企業の業務自動化を支援するインドのコンサルティング会社、インフォシスの代表だという。企業役員との会合はどんな具合かと尋ねると、彼は眼を見開き、ダボスに来るエリートたちは、**仕事を自動化する仕事**をやっている自分が予想していた以上に自動化を求めていると教えてくれた。

　以前は、社員のたとえば95パーセントを維持して徐々に自動化を進めるというやり方で、少しずつ人員を削減したいというのが顧客の要望だった。

「ところが最近では、『人員を今の1パーセントまで減らせないか』と言ってくるんです」

　つまりカメラやマイクがオフになっている場では、役員たちは労働者の支援など話題にしていなかった。労働者を完全に排除することを思い描いていたのだ。


　ダボスから帰国すると、私はＡＩと自動化について可能な限りよく知ろうと決めた。知りたいことはいろいろあった。企業やエンジニアリング部門の内部で、実際には何が起きているのか？　機械に仕事を奪われる危険にさらされているのはどんな人たちか？　自分を守るためにできることがあるとしたら、それは何か？

　そこで私は数カ月かけて、エンジニア、企業役員、投資家、政治家、エコノミスト、歴史学者に取材した。研究所やスタートアップを訪ね、テクノロジー関連の発表会や業界の会合にも顔を出した。ロボットと人間が握手している絵が表紙に描かれている本を１００冊ほど読んだ。

　私が記事を発表していくうちに、自動化をめぐる世間の見方は楽観的な輝きをいくらか失い始めた。特定の意見ばかりが行き交い増幅する反響室（エコーチェンバー）にユーザーを閉じ込め、もっと極端な考え方へ誘導するという、ソーシャルメディアのアルゴリズムがもつ破壊的な作用に人々が気づきだした。ビル・ゲイツやイーロン・マスクといったテクノロジー業界のリーダーたちは、ＡＩによって何百万もの人が職を失うおそれがあると警告し、政治家たちにこの問題を脅威として真剣に受け止めるよう求めた。エコノミストはＡＩが労働者にもたらす影響について暗い予想をするようになり、政治家は自動化による失業危機を回避するには抜本的な対策が必要だと訴え始めた。著名人のなかで最も声高に警鐘を鳴らしたのは、ニューヨークの実業家、アンドリュー・ヤンだった。彼は自動化の打撃をやわらげるために月額１０００ドルの「自由の配当金」なるものをアメリカ国民全員に支給するという公約を掲げて、２０２０年の大統領選挙で民主党の指名獲得を目指して出馬した。指名争いには敗れたが、迫り来るＡＩ革命に対する彼の警告は時流に乗り、テクノロジーによる失業をめぐる対話を時の主流へと押し出すこととなった。

機械に仕事を奪われることへの恐れは新しいものではなく、じつは紀元前３５０年ごろまでさかのぼる。アリストテレスが、自動織機や自動演奏ハープを使って奴隷の労働力への需要を抑えられないかと思いをめぐらせたのだ。[2]それ以来、機械に対する不安は増減を繰り返し、特にテクノロジーによる急激な変化が起きた時代に頂点を極めることが多かった。１９２８年、『ニューヨーク・タイムズ』は「機械の行進が人の手を不要にする」と題した記事を掲載した。[3]そこでは専門家たちが、電動の工場用機械という新たな発明品のおかげで単純労働は過去のものになると予想していた。第2次世界大戦後、製造用ロボットを導入する工場が増え始めると、人間の仕事はなくなる運命にあるという見方が再び主流となった。「人工知能の父」と広く認められているMITの研究者、マービン・ミンスキーは、1970年にこう言ったと伝えられている。「今後3年から8年のうちに、平均的な人間と同等の一般知能をもつ機械が実現するだろう」[4]

こうした恐れが現実となることはなかった。それでも現在、AIに対する不安が再び激しく燃え上がっている。不安に火をつけたのは、マーティン・フォードの『ロボットの脅威』やエリック・ブリニョルフソンとアンドリュー・マカフィーの『ザ・セカンド・マシン・エイジ』といった一般向けの本で、この2冊はどちらもAIが社会を根本から変えて世界経済を変容させると訴えていた。仕事の未来に関する学術的研究としては、たとえばオックスフォード大学が、アメリカでは今後20年以内に雇用の47パーセントが自動化によって失われる「リスクが高い」と予想し、危機感をあおった。[5] 2017年にはアメリカの成人の4人に1人が、AIと自動化によって生み出される職よりも失われる職のほうが多いと考え、半数以上がテクノロジーによって富裕者と貧困者の格差が広がると予想していた。[6]

2019年、私はこうした考え方の変化について記事をずいぶん書いたが、不安が極端に先走っている可能性を忘れないように気をつけていた。アメリカでは失業率がまだ記録的な低水準に近かったし、企業役員がAIと自動化について内輪で語ってはいたが、それらが実際に職を奪っているという明白な証拠はまだあまりなかったからだ。

そうこうするうちに、COVID-19が起きた。2020年の春、アメリカの多くの地域でロックダウンが始まると、テクノロジー企業から私に続々と電話がかかってきて、パンデミックによって自社の自動化計画にどんな影響が生じているかを聞かされた。それまでと違ったのは、企業が自社の自動化の取り組みを宣伝したがるようになったことだ。なにしろロボットは病気にならないから、人間を機械で置き換えることに成功した企業は、ウイルスが猛威を振るっているあいだも製品の製造やサービスの提供を続けることができる。消費者も自動化を歓迎した。こちらのほうが、人との接触を避けられるからだ。

パンデミックのおかげで、企業は反発されるおそれなしに、かつてない規模で自動化を進めるのに使える口実を手に入れた。そして自動化に次ぐ自動化を推し進めた。食肉加工大手のタイソン・フーズは、鶏肉をはじめとする食肉への需要を満たし続けるため、ロボット工学の専門家に自動脱骨システムを開発させた。[7] 物流大手のFedExは、体調不良の従業員や欠勤者の穴を埋めるため、集配センターに貨物分類ロボットを導入した。[8] ショッピングセンター、集合住宅、スーパーマーケットなどは、施設の衛生と安全を維持するために清掃ロボットや警備ロボットに資金を惜しみなく注ぎ、そのためロボットの販売業者は品薄に陥った。[9]

概してCOVID-19は自動化のスケジュールを数年分、ことによったら数十年分も加速させたようだ。コンサルティング超大手のマッキンゼーは、これを「大いなる加速」と称した。[10] Microsoft CEOのサティア・ナデラは、自社が「2年分のデジタルトランスフォーメーションを2カ月で」経験したと語っている。[11] 2020年3月に会計事務所EYが行なった調査によると、企業役員の41パーセントがコロナ後の世界に備えて自動化への投資を増やしていた。[12] MITの経済学教授で自動化の第一人者であるデイビッド・オーターは、パンデミックを「自動化を余儀なくする事件」と呼び、この事件が引き起こしたテクノロジーのトレンドはコロナ後にも長く続くと予想している。[13]

パンデミックは、自動化のもたらすメリットのいくつかを、ダボスのどのパネルディスカッションよりもありありと見せつけた。ロボットとAIのおかげで、企業は病欠の従業員が増えても生活に不可欠な商品やサービスを提供し続けることができた。製薬会社は有効な治療薬やワクチンの探索を迅速化するためにAIを利用し、製造工程を自動化した。自粛生活を強いられて人との濃厚な接触を恐れる数十億の人々は、Amazon、Google、Facebookなどの提供するAIによる自動サービスを利用して、必要な品物を入手し、社会生活を維持した。

一方、COVID-19は自動化の限界も示し、まだ機械にまかせられない重要な仕事がたくさんあることを明らかにした。社会の機能を維持するのに不可欠なサービスを提供する「エッセンシャルワーカー」が話題にのぼるようになり、彼らの多くがテクノロジーや金融などの華やかな業界ではなく、看護や自動車整備、農業といった比較的地味な分野で働いていることに私たちは思い至った。私たちはまた、バーチャル化にはまったく適さない活動があることにも気づいた。スクリーンだけで社会とつながりながら何カ月か自宅にこもったあと、私たちの多くはリアルな世界のすばらしさを痛感した。バーチャル授業を受けさせられた生徒のなかには、これではまったく勉強にならないし、楽しくもないと不満を訴えだした者がいた。自宅に閉じ込められたホワイトカラー労働者は、職場に戻りたいと願い始めた。そのほうが仲間との共同作業がやりやすいし、昇進もしやすいからだ（知り合いのオフィスワーカーは「Zoomで昇進を知らされるやつなどいない」とぼやいていた）。パンデミックが始まった直後の数カ月はバーチャルな交流に満足していた人たちも、ソーシャルディスタンスのルールを無視して友人とレストランで食事をしたり、バーで飲んだり、コンサートに行ったり、教会の礼拝に参加したりするようになった。

人間どうしのつながりに代わる十分なものは機械では生み出せないし、仕事で成功するのに必要なものも機械は与えてくれない。そのことを私たちは知った。この先もそれは変わらないかもしれない。

数年間にわたりＡＩと自動化の過去と現在について調べてきた私は、これらのツールが私たちを歩きやすく整えられた道へと誘（いざな）って、進歩と調和へ導いてくれるという素朴でユートピア的な話を信じ続けるのは難しいと感じている。だからといって、知能をもった機械が世界を支配する定めであり、人間は自分たちが過去の遺物となりつつあるという事実と折り合いをつける以外に何もできないとする、極端にディストピア的で運命論的なＡＩの物語を受け入れることもできない。

第1に、ＡＩや自動化の話になると、楽観論者も悲観論者も妙に遠い未来について語りがちだ。数年後、あるいは数十年後にこれらのテクノロジーがもたらす影響ばかりに目を向けて、すでに生じている影響については考えようとしないのだ。

気づいているかどうかは別にして、ほとんどの人はたくさんのＡＩと日々かかわっている。たとえば、ソーシャルメディアのフィードのランク付けや、AlexaやSiriのようなバーチャルアシスタントとのやりとりを実現するのに欠かせない機械学習モデル、ホテルの宿泊費や飛行機のチケット代を決めるダイナミックプライシングソフトウェア、公的給付金の受給資格を判定する不明朗なアルゴリズム、警察が地域パトロールで使う予測的取締りアルゴリズムなどがある。いずれもきわめて重要なシステムだが、長距離トラック運転手が自動運転トレーラーに仕事を奪われるのではないかという問いと比べれば、はるかに気にかけられていない。

ＡＩと自動化をめぐる中心的な議論では、もっぱら生産性の伸びや失業率といった限られた経済指標にＡＩが与える影響が論じられていて、これらのテクノロジーが実際に人の生活をよくしてくれるのかといった、もっと主観的な問いは置き去りにされがちだ。キャシー・オニール、サフィヤ・ウモジャ・ノーブル、ルハ・ベンジャミンら専門家は、設計が不適切な場合、AIは仮に「機能する」としても、弱い立場にある集団や疎外された集団に害を与える可能性があると指摘している。これらの集団を新しい形態のデータ収集や監視にさらし、従来の差別のパターンを自動システムに取り込んでしまうからだ。この問題はさまざまな形で起こり得る。履歴書選別アルゴリズムが女性よりも男性の適性を高く評価したり、顔認識システムが一般的な性別に合致しない人を正しく識別できなかったり、予測的リスクモデルシステムが黒人の融資申込者に対してほかの申込者よりも高い利率を設定したりすることなどが考えられる。AIと自動化について責任のある議論をするには、これらの問題に取り組むことも必要となる。

しかしAIをめぐる中心的な議論について私が抱く最大の懸念は、どちらの陣営もテクノロジーのもたらす変化をあたかも重力や熱力学と同じように抽象的な、私たちにただ「降りかかる」自然の力として扱いがちなことだ。楽観派も悲観派も、機械に知覚力やキャリア上の野心をプログラムできるかのごとく、「病気を治すアルゴリズム」とか「仕事を奪うロボット」について語る。どちらの陣営も、これらのシステムを設計し、配備し、その有効性を調べるやり方について決定を下しているのが、毎朝目覚める生身の人間だということに思い至っていない。

「自動化は必然の運命」とする議論を私はしょっちゅう耳にする。特にテクノロジーの進歩を「疾走する列車」にたとえて、人はそれに乗り込むか轢かれるかのどちらかしかないと語るのが好まれるシリコンバレーで、その議論を聞くことが多い。そう考えたい気持ちはわかる。私自身、長くそう信じていた。だが、その考えは間違っている。誰もが心の奥底では、それが誤りであることに気づいている。

ホモ・サピエンスが初めて自ら火を起こして以来、テクノロジーによる変化は常に人間の欲望に動かされてきた。印刷機、蒸気機関、ソーシャルメディア——これらは完成した形でどこからともなく不意に出現して社会に取り込まれたわけではない。私たちが設計したのであり、関連する法や規範を作り、誰のために利用すべきかを決めた。イノベーションは取り消せない現象ではない。過去の世代は、核兵器やアスベスト断熱材や含鉛塗料など、当時のテクノロジーの進歩を象徴する有害なツールが世に広まるのを抑えるために闘って、勝利を収めてきたではないか。

AIや自動化が人類にとって歓迎すべきものか、それとも忌むべきものか、どちらの見方をするにしても、これらの用途があたかも運命のように定められているのではないことを忘れてはならない。人間の労働者を排除するかどうかを決めるのは、アルゴリズムではなく企業役員だ。顔認識やターゲットデジタル広告といった新しいテクノロジーに課す制約を決めるのは、ロボットではなく規制当局者だ。新しい形態のAIを作るエンジニアはその設計について発言する権限があり、ユーザーはこれらのツールが道徳的に許容可能かどうかを判断することができる。

これがＡＩ革命の真実だ。機械が人から仕事を奪い取ることはなく、悪意に満ちたロボットの群れが蜂起して人間を奴隷にすることもない。

どんな社会が望ましいか、決めるのは人をおいてほかにない。


ロボットが仕事をすべて奪うとか、仕事の一部を奪うとか、あるいは仕事を奪うことはないなどと訴えることが本書の目的ではない。テクノロジーに支えられた資本主義の恐怖について騒ぎ立てたり、機械の知能と人間との共存について思索したりするのでもない。人工知能が人間の知能を超える技術的特異点（シンギュラリティー）が訪れる日を予想するつもりはないし、ＡＩ関連のスタートアップを設立して一儲けする方法を指南するつもりもない。

本書では、機械によって機械のために構築される度合いを強めていく世界で、人間がどうあるべきかを語る。ＡＩと自動化の時代に生きがいをもって幸せに暮らすために大事なのは、機械と真っ向から競い合うことではない。コードの書き方を覚えたり、生活を最適化したり、個人の非効率や無駄をことごとく排除したりする必要はない。機械に**できない**ことを自分ができるように、人間ならではのスキルを強化することが大事である。本書はこのことを伝える試みなのだ。

世界に置き去りにされているように感じたことのある人、あるいはテクノロジーによる変化についていくのは無理だと不安を抱く人には、そんな心配は無用だと気づいてほしい。私はそういう人たちが職を失わないように手助けをしたい。家庭でテクノロジーともっと健全な関係を築き、買う品物や注意を向ける対象や世界のとらえ方を変えようとするアルゴリズムと円満に共存できるように力を貸したい。

テクノロジーが至福か恐怖かという二項対立で語るのをやめて、これから何が起きるのか、そして私たちはそれに対して何ができるのかについて、もっと率直に語り合いたい。これが私の最大の願いだ。

第1部「機械」で、まずは議論の場を整えることを目指す。専門家への取材、書籍や研究論文、そして3世紀にわたる産業化の歴史を踏まえて、AIと自動化がすでに私たちの社会を変容させる強い影響をもたらしていると考えられる理由や、今後そうした変化が加速すると考えるべき理由を説明したい。機械が労働者から職を奪うという世間一般の見方に抗い、私たちは恐れるべきでないロボットを恐れてきたのではないかと私が懸念する理由を説明する。

第2部「ルール」では、アドバイスを示す。未来に備えるためにとれる手立てを9つの具体的なステップとして紹介する。自分の人間性を守り、最も人間らしい特質を生かしつつ、現代のテクノロジーがもたらす悪影響は避けることを目指す。このやり方でテクノロジーによる変革をうまく乗りきった人たちの例を過去の数世紀から挙げ、彼らの教訓を自分の生活や仕事に生かす方法を説明する。

本書を読み終わるころには、ＡＩと自動化について、そして今後これらが経済や政治や社会にもたらし得る課題について、私が抱く懸念を読者に共有してもらえることを期待している。一方で、こうした課題に立ち向かうことに、もっと自信をもってもらいたいとも思う。最終的には、不安から解放されることが可能だとわかってほしい。ＡＩに何ができて何ができないかにかかわらず、人が人間らしさゆえにかけがえのない存在になることは可能なのだ。

読み進めるうちに、本書はマクロ的なものよりミクロ的なものに焦点を当てていることがわかってくるだろう。生産性の評価とか就業率についてくどくどと論じたりしない。ＡＩに関する完璧な政策提言を発表するつもりなどない。大事なのはテクノロジーによる変革に対して政治や経済の体制を備えることであり、本書巻末の図書リストで挙げた人たちを含めてたくさんの専門家たちが、来たるべき自動化の波に備えて社会をどのように改革すべきか考えている。しかし本書が最も重視するのは、個人に何ができるか、案じるべき仕事や家族やコミュニティーをもつあなたや私のような人たちに何ができるかということだ。

本書は一人称で書かれた部分が多いことにも気づかれるだろう。それは私も同じ旅路を歩んでいるからだ。日々、私も機械との関係に悩み、自動化の進んだ社会で自分の立場がどうなるのかと気がかりは尽きない（なにしろ私は新聞記者であり、これは「未来の職業」という言葉から真っ先に思い浮かぶ職業とは言いがたい）。本書を書こうと思い立ったきっかけの一部は、利己的なものだった。輝かしい洞察や反論の余地のないデータのようなものを見つけて、未来に待ち受けているものについて安心したかったのだ。

ところが実際にわかったのは、未来には何も待ち受けてなどいないということだった。あらかじめ決められた「未来」や「待ち受けているもの」など存在しないのだ。歴史のすべての瞬間がそうであったように、現在にも起こり得る結果は無限に存在し、すべてが私たちの選択によって決まる。ロボットが世界を破滅させるなら、それは私たち自身が生み出した結果なのだ。テクノロジーによる革命のおかげで世界がもっと公平で幸福で豊かな場所になるのなら、それは私たちが果てしなく理屈をこねたり議論を続けたりするのをやめて、自らの運命を制し、未来に備えることができたからに違いない。

――ケビン・ルース
２０２１年１月
カリフォルニア州オークランドにて

第1部 機械

The Machines

第1章
サブオプティミストの誕生

機械が社会にもたらす危険は、
機械そのものではなく
機械の使い方によって生じる。

――ノーバート・ウィーナー

照明が落ち、ギターのアドリブがスピーカーから鳴り響くと、ステージのバックスクリーンにロボットたちの名前が浮かび上がった。

インフォセック監査ボット――アクセンチュア

ターボ抽出ボット——クラフト・ハインツ

ウェブ監視ボット——インフォシス

2019年4月、私はマンハッタンにあるホテルの宴会場にいた。オートメーション・エニウェアというシリコンバレーのスタートアップが、数百人の企業役員たちを前に最新製品を発表していた。登場したのは、SF映画で見かけるような電子音を発する物理的なロボットではなかった。すべてバイトとピクセルでできたソフトウェアボットで、人間に代わって仕事をするようにプログラムされている。

オートメーション・エニウェアが役員たちに訴えているメッセージはシンプルだった。「弊社のボットは人間よりもよく働きます」ということだ。なにしろボットは週7日、1日24時間、疲れ知らずで働き続けることができるのだ。休暇を取ったり、人事部に不服を申し立てたり、病欠したりすることはあり得ない。人の仕事をボットにやらせれば、その人は仕事から解放されて、仕事よりも価値のあることができるようになるはずだ。

「労働力全体の20パーセントから40パーセントは、アプリケーション間の橋渡しの仕事にかかりきっています」とオートメーション・エニウェアのCEO、ミヒル・シュクラが言う。

この仕事が自動化されれば、「人がもっと価値のある仕事に取り組めるだけでなく、コストも大幅に削減できます」。

このメッセージは効いているようだった。オートメーション・エニウェアはあまり知られていない会社だが、スタートアップとして世界有数の急成長を遂げ、企業価値は60億ドルを超えている。同社のボットのインストール数は100万件を上回り、フォーチュン500に名を連ねるマスターカード、ユニリーバ、コムキャストといった大企業にも採用されている。

その数週間前、私はシュクラの招きでサンノゼにあるオートメーション・エニウェアの本社を訪ね、風通しのよい平屋建ての社屋を案内してもらった。壁面は数式のステンシルで飾られていた。シュラクは4つの会議室を見せてくれた。各部屋が別々の産業革命への賛辞として設計されているという。

最初の部屋は「1760」と呼ばれ、最初の産業革命へのオマージュとして装飾され、壁には工場の歯車が掛かっている。2つ目の部屋は「1840」で、19世紀に始まった第2次産業革命を記念して、エジソンの発明した電球が天井からぶら下がっている。3つ目の「1969」という部屋は、20世紀半ばに流行した壁紙とディスコライトで飾られている。この部屋は、マイクロチップやパソコン、インターネットといったテクノロジーを巻き込んで20世紀に起きたイノベーションの波、すなわち第3次産業革命を表している。

最後の部屋は、すべてが真っ白だ。現在進行中の第4次産業革命を表すのだという。AIと自動化の分野で起きているイノベーションの加速を特徴とする革命だ。シュクラによれば、このまっさらな内装は、第4次産業革命が未完了で、私たちの生活をもっとよいものにしてくれる可能性がまだ広がり続けていることを表現しているそうだ。

サンノゼで会ったとき、シュクラは私に「ロボットは人間の仕事を奪うのか」という古くからの問いはまったくの的外れだと言った。むしろ多くの場合、ロボットは人間の仕事を奪う「べき」だと彼は考えている。というのは、私たちが今やっている仕事は、私たちのもつ人間としての可能性を浪費しているからだ。

「私たちは人間にロボットのような仕事をやめさせ、もっと大事なことを成し遂げてもらおうとしているのです」と彼は言う。

しかしニューヨークで潜在顧客の前でステージに立つシュクラは、トークにもっと実利的な一面を加えた。企業役員たちに、自動化を利用すれば御社の営業費は一気に削減でき、増収が見込めます、と言ったのだ。さらに誇らしげに、オートメーション・エニウェアのボットは単一タスクのアルゴリズムではなく、「ダウンロード可能なデジタルワーカー」として人間の仕事をすべてまかせられると言った。そしてほんの数クリックで「雇用」できるデジタルワーカーの例をいくつか示した。デジタル仕入先勘定係、デジタル給与管理者、デジタル税務監査員などだ。

それからシュクラはまた熱を帯びた口調に戻り、ＡＩと自動化の未来について壮大なビジョンを語った。それは彼と同業のテクノロジストたちがよく語るのと同じようなもので、機械の知能が人を日々の労働から解放して経済を活性化してくれるので、私たちは最重要の社会的問題に取り組めばいいという、ウィン・ウィンの未来を描いた楽観的な展望だった。

「今から１００年後の世界では、私たちは火星のゲレンデでスキーをしているでしょう。２００年後には、土星の環でサーフィンです。５００年後には、ブラックホールをエネルギー源として利用しているに違いありません」と彼は語った。

シュクラはステージを歩き回り、華々しくスピーチを締めくくった。

「これこそ人類のもつ可能性です。しかし、労働力の40パーセントから70パーセントがロボットのように使われている限り、実現には至りません。ですから、人間の知性を解き放ちましょう！」

ＡＩは恩寵か、脅威か？

ＡＩと自動化に関する本を書いていると言うと、反応は２つに分かれる。

テクノロジーに対して懐疑的な友人や同僚は、おおむね好意的だった。仕事を奪うロボットに関する暗い予想を耳にして、不安を覚えていたからだ。彼らは差し迫る自動化危機への不安が正当なものだと私が証明することを期待した。そしてＡＩが大量失業を引き起こさないにしても、気味の悪い監視や暴走する自動運転車、脳をかき乱すソーシャルメディアアプリなどの新たな品々が、メリットよりも多くの害をもたらすのではないかと疑う彼らは、その疑念を私が肯定することを望んだ。

一方、シリコンバレーでは、企業用ソフトウェアを扱うボックス社のＣＥＯ、アーロン・レビーの示した反応のほうがふつうだった。

「へえ、『ロボットが仕事をすべて奪う』とか訴える本を書いて、みんなを恐怖や憂鬱に陥れているんじゃないだろうね？」

オートメーション・エニウェアのミヒル・シュクラと同様、レビーもロボットがいずれは労働者のためになると考えている。不安をあおるメディアによるＡＩ新技術の報道には不満で、私たちの不安は取り越し苦労だと思っている。

「私たちはＡＩについてどうするべきか」という問いに答える前に、私はこの議論について公平を期して、レビーやシュクラのような人たちと誠実にかかわりたいと思った。そこで私は多数のＡＩ楽観論者に話を聞いた。ＡＩ関連のテクノロジーが、最終的には悪影響よりもはるかに多くの望ましい影響をもたらすと信じている人たちだ。そして私は、彼らから聞いた話を４つの要点にまとめた。

1．「以前にも同じことがあり、最終的にはよい結果に至った」

楽観論者はまず、自動化への不安は一般に根拠を欠いていると言う。テクノロジーに奪われる仕事もいくらかはあるものの、古い仕事に代わる新たな仕事が必ず生まれ、その過程で私たちの生活水準が向上するということが、数百年分の証拠によって証明されていると主張する。

彼らの言い分によれば、確かに産業革命で一部の農民は仕事を失ったが、工場で数百万、数千万という働き口が生まれ、安価で利用しやすいさまざまな消費財が新たに登場した。これは人類の歴史を通じて繰り返されてきたパターンだ。電灯のせいでガス灯の点灯夫は職を失ったが、電化製品という新たな分野で製品の製造、販売、修理に携わる仕事への需要が生じた。家庭に冷蔵庫が普及すると氷売りの仕事はすたれたが、食料品店、レストラン、農家の仕事が大幅に増えた。

「この250年というもの、テクノロジーはひたすら進歩し続け、その期間のほとんどでアメリカでは失業率が5パーセントから10パーセントにとどまっていた。蒸気力や電力といったまったく新しいテクノロジーが登場したときにも、それは変わらなかった」と記したのは、そんな楽観論者の1人で『人類の歴史とAIの未来』を書いたフューチャリストのバイロン・リースだ[1]。

この手の主張をする人は、しばしば論拠として最近の経済データを持ち出す。そして往々にして「生産性のパラドックス」を取り沙汰する。じつはこの数十年間、アメリカでは生産性の向上が減速している。大規模な自動化によって企業の効率が著しく向上して人員が続々と削減されているなら、従業員の生産性は上がるはずだが、実際にはその逆の状況が起きているのだ。

つまるところ、今起きているテクノロジーによる変革は、それ以前に起きた変革となんら変わるものではなく、私たちは過去を顧みて未来への安心材料とするべきだ、というのが彼らの言い分である。

2.「AIは退屈な作業を人間の代わりにやってくれるので、人間の仕事はもっとよいものになるだろう」

第2の点として、楽観論者はテクノロジーが人間から仕事を奪うことはふつうにはあり得ないと言う。AIは反復的でつまらない作業という暴虐から人を解放し、もっと価値とやりがいのある仕事に専念させることによって、人間の仕事をもっとよいものにしてくれる。「退屈極まりない事務作業はAIがやってくれる」と『ワイアード』誌は2020年の記事で断言し、ＡＩアプリが大企業に導入され、データ入力や文書のフォーマット化、長い報告書の要約といった機械的な作業を処理していると指摘した[2]。

楽観論者はしばしば、単調で時間のかかる仕事の多くをすでにコンピューターにやらせている専門職を例に挙げる。たとえば医師は患者との会話に集中できるように、定型的な記録作成の多くを電子カルテにまかせている。弁護士は依頼人とのやりとりにもっと時間を充てられるように、法律検索ソフトウェアを利用している。建築士はコンピューター支援設計ソフトウェアを使うことで、画面上で図面を引く単純作業に長時間を費やさずに済んでいる。

これらの職業が自動化に脅かされることはない、と楽観論者は言う。人間の医師や弁護士や建築士にできて機械にはできないことがまだたくさんあるから、というのがその論拠だ。楽観論者は、今後数年のうちに出現するＡＩによって退屈で反復的な仕事がさらに減り、真に好きなことができる自由を私たちに与えてくれると見ている。

3.「人間とAIは競うのではなく協力する」

楽観論者はまた、今日のＡＩの多くは人の「代わり」を務めるのではなく、人と「ともに」働くように設計されているので、人間とＡＩの関係は競争的な脅威ではなく協力の機会をもたらすと考えるべきだと主張する。

エリック・ブリニョルフソンとアンドリュー・マカフィーは著書『ザ・セカンド・マシン・エイジ』において、「機械を相手に戦うレース」を「機械とともに戦うレース」に変えることを提案している。コンサルティング会社アクセンチュアの役員を務めるポール・R・ドーアティーとH・ジェイムズ・ウィルソンは、著書『人間＋マシン』で人間とAIの協力が21世紀の経済を支える礎になるだろうと記している。

ドーアティーとウィルソンによれば、「AIシステムは私たちの仕事を根こそぎ奪うものではない」のであり、「私たちのスキルを増強し、私たちと協力し、以前には不可能だったような生産性向上を実現してくれる」のだという。

このタイプの楽観論者がよく引き合いに出すのが、チェスのグランドマスター、ガルリ・カスパロフだ。彼は1997年にIBMのコンピュータープログラム「ディープ・ブルー」に敗れたことで知られる。伝えられるところでは、ディープ・ブルーに負けたあと、カスパロフは人間のチェスプレイヤーとコンピューターが協力すればもっと強くなれると気づいた。そこで彼は、プレイヤーがコンピュータープログラムを利用し、機械の洞察を自分の能力と組み合わせることが許される「フリースタイルチェス」の普及に取り組み始めた。このように人間とコンピューターからなるチームは、コンピューターのみと対決すれば「圧倒的に強い」はずだと彼は記している。

同じ考えが、さまざまな分野の専門職にもあてはまると楽観論者は訴える。医師は病気を診断する前に機械学習モデルを利用し、裁判官は判決を下す際の情報源として再犯予測アルゴリズムを利用し、ジャーナリストは機械が書いた草稿に人間らしさを加えればいい。これらのいずれの例においても、人とＡＩが協力することによって、どちらか一方だけではなし得ない、もっと大きくてすぐれたことが実現できる。これが楽観論者の見立てだ。

4.「人間には無限の需要があるので、ＡＩが大量失業を引き起こすことはない。未来には、今の私たちには想像もできないような新しい仕事が生まれるだろう」

楽観論者がよく持ち出す言い分の４つ目は、悲観論者は概して想像力を働かせていないというものだ。今ある世界最大手企業の多くは、ほんの数十年前には存在していなかった。FacebookもGoogleもAmazonもそうだ。ユーチューバーとか検索エンジン最適化エキスパートとかプロeスポーツプレイヤーなどという職業も、つい最近に生まれたばかりだ。楽観論者によれば、ＡＩはすでにデータサイエンス、高精度医療、予測解析などの分野で新たな仕事を生み出している。この先、ＡＩの改良が進めば、人間の発想力を生かす場はさらに増えていくだろう。パーソナルトレーナーロボットがついてきて、もっと健康的な食事を摂ってくださいとか運動してくださいなどと言ってくれるのを、私たちは望むようになるかもしれない。町中にセンサーのネットワークが張りめぐらされ、渋滞を回避しようと臨機応変に交通パターンを調整したり、廃水を分析して流行病の発生を発見したりする日が来るかもしれない。あるいは自動運転車に加えて、自動走行レストランが食事客を乗せてあちこちを走り回るようになるかもしれない。こうした新たなプロジェクトには、人間の力が欠かせない。コードを書くだけでなく、アドバイスを与え、センサーを設置し、客をもてなすのに、人間の力が必要なはずだ。

テクノロジーが新しい扉を開くたびに、私たちはいつも自分たちのために新たなおもしろい仕事をちゃんと生み出してきたのだし、私たちの欲望には際限がないので、私たちのなすべき仕事が尽きることはないはずだ、と楽観論者は言う。

楽観論者の意見は正しいか?

これらの主張について調べ、ＡＩ楽観論者がよく持ち出す論拠を検分した結果、私は全面的な楽観ではなく全面的な悲観でもない立場に至った。

私の立場は「サブオプティミズム」(楽観未満)と呼ぶべきものだ。これは私が自分の考えを表現するのに作った言葉で、ＡＩや自動化に対する最大の恐れは現実とならないかもしれないが、注意を向けるべき差し迫った現実の脅威は存在するという見方を表す。1から10の不安スケールで「AIはいかなる経済や社会に対しても、いかなる問題も引き起こさないだろう」を1、「AIは私たちや私たちにとって大切なあらゆるものを破壊するだろう」を10とするなら、私はおそらく7あたりに位置する。

テクノロジー自体については、さほど心配していない。不安レベルは2か3のあたりだ。適切に設計されたAIや自動化が多くの人の暮らしを劇的に改善できると、私は今も信じている。自動運転の乗用車やトラックだけでも、年間に何十万人もの命を事故から守れるはずで、これはトラックやタクシーの運転手が職を失うとしても、なお喜ぶべきことだろう。AI、ビッグデータ解析、ゲノム科学を組み合わせて病気の治療や予防を目指す新たな個別化されたアプローチである高精度医療は、人をむしばむ病気から命を救う新たな治療法を見つける助けとなるかもしれない。ほかにもAIは数えきれないほどの方法で、私たちの未来をよくしてくれる。それは重大なもの（エネルギー消費の効率化）から愉快なもの（AIを用いた新しいタイプの適応ビデオゲーム）まで多岐にわたる。

しかし私は、こうした新しいテクノロジーを設計し実装する人間に対して、はるかに強い不安を抱いている。不安スケールで8か9あたりだろうか。利益に飢えた企業役員や夢見がちな起業家らがAIを熱心に取り入れるのを私は見てきた。彼らの多くは、労働者が悪影響を受けるリスクや職を失うリスクをわざと控えめに語っている。AIを使って部下をこと細かに管理して監視する上司がたくさんいて、その結果として多くの仕事は有意義にも簡単にもならず、厳しく不安定なものになっている。欠陥やバイアスを含むデータセットをもとにして作られるＡＩには欠陥やバイアスが含まれるし、今日のＡＩを作るエンジニアたちは圧倒的に同類の者たちからなる集団なので、たとえば女性や人種的少数派といった社会の周縁に位置する集団に不当な不利益を与えるシステムが作られる可能性が高い。弱い立場にある集団を抑圧し、政治的な意見の相違を抑え込もうとする独裁主義政権にとって、ＡＩが都合のよいものになっていくことを私は危惧している。顔認証などのＡＩ技術がプライバシーや人権の侵害を助長するかと思うとぞっとする。

私は長年にわたってテクノロジー業界について書き、業界が理想に達せずにいるのを見てきた。私のサブオプティミズムの一部は、私のこうした経験からくる直感であることを認めよう。

だが、ＡＩ楽観論を擁護する主張について私が見出してきた事柄、そしてその主たる論点のいずれも楽観論者が思っているほど堅固ではないという事実も、私のサブオプティミズムの一因となっている。

では、楽観論者の言い分の１つ目から見ていこう。

「以前にも同じことがあり、最終的にはよい結果に至った」

私がまず知ったのは、多くの楽観論者が歴史をきちんと理解していないということだ。第4次産業革命が人類に大きな恩恵をもたらすと口々に主張する一方で、第1次から第3次までの産業革命が多くの人にさほど恩恵をもたらさなかったことについてはほとんど指摘しない。

18世紀から19世紀にかけてアメリカとイギリスが産業化を遂げるにつれて、労働者は過密で不衛生な工場で絶えず劣悪な条件にさらされ、しばしば長時間労働を強制され、法外な搾取に遭った[3]。なかでもひどい状況に置かれたのが児童労働者で、哀れなほどの薄給しかもらえず、不潔な宿舎に押し込まれ、監督の要求を満たせなければ虐待された。第2次と第3次の産業革命は、第1次と比べれば労働者にとって円滑に進行したが、その一因は第1次産業革命への反動として労働者保護が生まれたからだった。それでもなお問題は山積していた。第2次産業革命は、いわゆる金ぴか時代を生み出した。19世紀終盤のアメリカで、とてつもない汚職の蔓延、血みどろの労働紛争、激しい人種差別、所得格差の急拡大が見られた時代だ。第3次産業革命では、情報通信技術の発達によって生産性が大幅に向上した一方で、年中無休の新たな労働文化が広まり、ホワイトカラー労働者のあいだで新たな不安の種がまかれ、その結果としてかつてないレベルの消耗や仕事絡みのストレスが生じた。

歴史を顧みれば、テクノロジーによる変革がしばしばエリートや資本家に好条件をもたらす一方で、労働者は必ずしもすぐにはその恩恵を受けていないことがわかる。たとえば1760年代に産業革命が始まると、イギリスの国内総生産と企業収益はほぼたちどころに増大したが、一部の推定によればイギリスの労働者の実質賃金が上がるには50年以上を要した[4]（この格差はフリードリヒ・エンゲルスが著書『イギリスにおける労働者階級の状態』で記したもので、経済学者のあいだでは「エンゲルスの休止」と呼ばれている[5]）。つまり、実際に産業革命にかかわった労働者の生産性向上の成果が現れたころには、彼らの多くはすでに退職しているか死んでいるかのいずれかだったのだ。

一部の経済学者は、企業収益が急増する一方で賃金が伸び悩んでいる現状から、私たちが新たなエンゲルスの休止に直面している可能性を示唆している。最近ではいくつかの研究が、自動化は常に奪うよりも多くの雇用を生み出すという主張に疑念を投げかけている。

とりわけMITのダロン・アセモグルとボストン大学のパスクアル・レストレポという2人の経済学者は、過去数十年間に自動化が雇用を生み出すよりも速いペースで雇用を奪ったことを突き止めている。[6]彼らによると、1947年から87年までは、自動化に関する楽観論者の見方は基本的に正しかった。自動化を採用した業界では、雇用の喪失と創出

（2人の言葉では「失職」と「復職」）がほぼ同じペースで起きていた。ところが1987年から2017年にかけては、これらの業界で失職のペースが復職を大幅に上回り、新たに生み出されるのはもっぱら高度な技能を要する仕事で、多くの労働者には手の届かないものだった。つまり、以前なら失職してもすぐに新しい職が生み出されることがわかっていたので、そこに慰めを見出すことができたが、現在ではAIや自動化に職を奪われた人の多くは新たな職に就ける見込みが低い。

自動化はまた、低賃金の職業で働く人たちに極端な影響を与え、既存の人種間格差やジェンダー間格差をさらに拡大する傾向がある。2019年にマッキンゼーが発表した報告書では、黒人男性は白人またはアジア系の男性よりも自動化によって職を奪われる割合がきわめて高いと予想されている。[7] その一因は、トラック運送業、食品サービス業、事務職など、自動化されるリスクの高い職業では黒人男性の割合が高いからだ（報告書によると、黒人女性のほうが影響はやや小さいと予想される。というのは、黒人女性は看護や教育など自動化のリスクが低い職業で働く割合が高いからだ）。

こんな話を聞かされれば私たちは不安になるし、歴史を根拠として今日のAIや自動化がもたらす影響への不安を払拭しようとする楽観論者を批判したくもなるはずだ（オックスフォード大学の経済学者カール・ベネディクト・フレイは「今『また』産業革命が起きているのなら、警戒すべきだ」と記している）。[8] これまでに起きた3回の産業革命で多くの人が憂き目に遭ったし、今度の産業革命でもやはりたくさんの人が辛酸をなめる可能性がある。

「ＡＩは退屈な作業を人間の代わりにやってくれるので、人間の仕事はもっとよいものになるだろう」

この主張を吟味するには、まず「もっとよいもの」の意味を明確にする必要がある。一般論として、自動化によって身体的な負荷が軽減するのは事実だ。採鉱、食肉処理、重工業など、前世紀までのブルーカラー労働者の仕事でとりわけきつかったものは、おおむね機械が引き受けるようになった。

自動化のおかげでホワイトカラー労働者が退屈で反復的な作業から解放された例も簡単に挙げられる。たとえば私の場合、以前は取材時の録音を文字に起こすのに膨大な時間を要していた。面倒で時間のかかるこの作業が嫌でたまらなかった。ところが今では、音声ファイルを自動文字起こしサービスにアップロードするだけだ。機械学習を利用した音声テキスト変換エンジンが、ほんの数秒で音声ファイルをテキスト化してくれる。もっとも、自動文字起こしがいつもスムーズに完了するわけではない（アプリがなかなか愉快な変換ミスをすることもけっこうあって、Facebook ＣＥＯのマーク・ザッカーバーグの親友を取材したときには、「Zuck's inclination」(ザックの好み)が「sexy clinician」(セクシーな臨床医)となっていた)。ともあれ、このサービスのおかげで私は数年間で何百時間も節約でき、取材と執筆にもっと時間を充てられるようになった。

とはいえ、このように労働を削減してくれるイノベーションがあっても、今日の労働者が前世代の労働者よりも幸せだという証拠はない。現在のアメリカ全体で鬱や不安に悩む人の割合は30年前よりも大幅に上がっていて、自己申告による職場でのストレスレベルもこの数十年間に着々と上昇している[9]。

仕事が以前よりも安全で楽になっているにもかかわらず、職場での幸福度が上昇していない。この状況は一見すると矛盾しているようだが、説明は可能だ。自動化は厳しい肉体労働を排除するだけでなく、労働者がじつは愛している仕事の楽しさややりがいも奪い去ってしまう場合があるのだ。

歴史学者のデイビッド・ナイによれば、1930年代に起きた最初の工場創設の波とともに電気の敷設が始まり、多くの労働者は自分たちの日々の作業が改善されることを期待した[10]。ところが実際に電灯がともり始めると、彼らの生活に起きた最大の変化は労働者どうしの交流がなくなったことだと気づいた。かつては仲間との協力を要するダイナミックなものだった仕事が、電動の機械のせいで、ボタンを押すだけの退屈な苦役になってしまった。

「工場内に以前は噂話やジョークや仲間意識があふれていたのに、そうした人間どうしの触れ合いが難しくなった」とナイは記している。「かつては作業の中断が頻繁に起こり、そのあいだに人と交わることが難なくできたが、今では管理者が機械を絶えず改良し、仕事のペースを押し上げている」

今、このような変革がホワイトカラーの職場で起きている。ＡＩや自動化のおかげで、企業が非効率をことごとく排除し、かつては労働者が一息ついて仲間としゃべる機会だった作業の中断時間を奪っているのだ。

ＡＩと自動化は、まったく新しいタイプの退屈で反復的な仕事も生み出している。ただし、欧米でこの仕事を目にすることはめったにない。メアリー・Ｌ・グレイとシダールト・スリは、この「ゴーストワーク」の出現を扱った本を書いている。[11] ゴーストワークとは、ＡＩや自動システムを適切に機能させるために労働者をエンドユーザーの目から巧妙に隠して働かせるやり方だ。Facebook、Twitter、YouTubeなどのソーシャルメディアは、低賃金の請負労働者を大量に使って、不適切なコンテンツをネットワーク上に残すか削除するか判断する作業を一日中させている。AlexaのようなＡＩアシスタントは、「データアノテーター」と呼ばれる人間から支援を受ける。人間がユーザーの会話の録音を盗聴し、データをラベル付けし、誤りを修正し、ＡＩが訛りやふつうでない要求を理解できるようにトレーニングすることによって、システムを改善していくのを助けているのだ。中国では「データラベリング」会社が続々と生まれ、ＡＩを機能させる地味な事務作業に朝から晩まで従事する労働者を求める莫大な需要を満たしている。彼らはたとえば画像にラベルを付け、音声ファイルにタグを付ける。時給はわずか10元、およそ1ドル47セントだという[12]。

ＡＩ楽観論者は、新しいテクノロジーが私たちの生活の質を全体として高め、いったん慣れてしまった人が以前のやり方に戻りたいと思うことはまずないと主張する。この主張はおおむね正しい（どれほど強硬なラッダイトでも、洗濯機を使わずに服を洗ったり、麻酔なしで手術を受けたりすることは望まないだろう）。

しかし楽観論者は、私たち全員が1つの集合体として生きているわけではなく、無限に生きるわけでもないということを見過ごしている。就業期間や生涯には終わりがあり、私たちは限りのある人生を生きる個人として経済における重大な変化を経験する。生きているあいだに、テクノロジーによる変化を通じて物質的状況の改善を経験できない人もたくさんいる。

安定を望むがゆえに、旧弊な規範や時代遅れの仕事にしがみつこうとするのは無駄な抵抗だという楽観論者の考えには、私も基本的に同感だ。また、私たちが社会としてしばしば変化を災厄と早合点してしまうという見方も、もっともだと思う。

しかし率直に言えば、変化をくぐり抜けるのは困難で、あるテクノロジーの時代から次の時代へとスムーズに乗り換えられる人は多くないということを認めざるを得ない。一部の人が時代のはざまに落ちてしまうのは避けられない。なんとか足がかりは確保できても、以前のような安定性を取り戻せない人もいる。さらに、新しいテクノロジーを使いこなす人間に利用され、以前よりもひどい搾取を受ける一方で賃金は減らされる人もいる。こうした変革が「失われた世代」を生み出すことも多い。何百万という人たちが、自分ではどうにもならない力に人生設計を狂わされ、約束の地にたどり着けず、ひどい場合にはそもそも約束の地がどんなものかを知ることさえかなわずに死んでいく。

要するに、ＡＩや自動化が私たちの暮らしをよくしてくれることは確かに「可能」ではあるが、決して確実ではないのだ。

「人間とＡＩは競うのではなく協力する」

この点については、私は楽観論者に同調したいと心から願っていた。人とＡＩが寄り添って完璧な調和のもとでともに働くというビジョンを、私は愛してやまない。そして機械が与えられた作業をどれほどうまくこなせるようになったとしても、専門家の人間だけにできる数量化不可能な作業が尽きることはない、と私は信じたい。

しかし残念ながら、どうやらそうではなさそうだ。

あるは遂行レベルに達すると、ＡＩは人間を凌駕し、さらには人間とＡＩの共同チームをも凌駕するケースが多い。このことが研究で続々と判明している。２０１９年、ワシントン大学とMicrosoft リサーチの研究者は、ＡＩシステムが単独で決定を下したケースと人間が「ＡＩの支援を受けて」決定を下したケースを比較した過去の複数の研究を対象として、メタ解析を行なった。[13] その結果、すべてのケースでＡＩ単独のほうが人間とＡＩの共同チームよりもよい成績を収めていることがわかった。
「どの研究でも、チームによる成績の向上は観察されなかった」と研究者は記し、「いずれのケースでも、人間をループに加えると成績が**下がった**」と指摘した。
　人間とＡＩのチェスチームという古典的な例でさえ、問題が判明した。混成チームのほうがコンピューター単独よりもすぐれているはずだとしたガルリ・カスパロフの仮説は、コンピューターによるチェスの時代の初期、コンピューターがまだ弱かったころには成り立ったかもしれないが、もはやそうではなくなったようだ。たとえばバッファロー大学の研究者らが率いた２０１４年の研究では、かつてはチェスをプレイするＡＩよりも人間とＡＩのチームのほうが有利だったかもしれないが、「その差はもはや消え去っている」ことが確認された。[14]
　つまり、私たちは人間とＡＩとの協力についていろいろ聞かされているが、じつは私たちはしばしば足手まといでしかないのだ。

「人間には無限の需要があるので、AIが大量失業を引き起こすことはない。未来には、今の私たちには想像もできないような新しい仕事が生まれるだろう」

この主張は厳密には検証不可能だが、AI楽観論者がよく指摘する点のなかで、私はこれが最も説得力に富んでいると感じる。AIや自動化が人間を完全に無用の存在にしてしまう可能性について考えるとき、私はいつも自分が子どものころにはまだ存在していなかった職業を思い浮かべる。たとえばアプリ開発者、ソーシャルメディア管理者、ポッドキャスト制作者、ドローン撮影技師などは、まだなかった。そして私は、これから数十年のあいだにどんな耳慣れない職業が新たに生まれるかと想像をめぐらせる。

業界ウォッチャーは、すでに新しい職業の出現を目撃している。2018年、コンサルティング会社のアクセンチュアは大企業1000社を対象とした調査を行ない、「訓練者、説明者、維持者」という3つのカテゴリーでAI関連の職業が創出されているのを見出した[15]。この3つは、機械を指導し監視する人、アルゴリズムの下した決定についてほかの人に説明する人、そしてAIを企業のIT部門に導入する厄介な作業を実行する人だ。アクセンチュアとライバル関係にあるコンサルティング会社のコグニザントは先ごろ、遠からず創出されると思われる数十の職業をまとめたリストを発表した。そこには「パーソナルデータブローカー」「拡張現実旅行計画者」「青少年サイバー犯罪更生カウンセラー」などが挙げられていた[16]。

言うまでもなく重要なのは、これらの職業が自動化によって失われた職業を穴埋めできるほどふんだんにあるのか、そして古い職業がなくなってから新しい職業が出現するまでに長い空白の時間が生じることはないのか、という問題だ。

これらの問いに答えるのは難しい。というのは、新しい職業というのがどんなものなのか、さらにはそれがいつごろ登場するのか、まだわからないからだ。

それでも、次のような問いには答えていくことができる。

- テクノロジーによって創出される新しい職業は、それ以前に存在した古い職業と同じように安定し、やりがいがあり、十分な報酬を与えてくれるか。
- 新しい職業は古い職業と同じ場所に存在するか。
- 新しい職業では、性別、民族、学歴などとは無関係に、すべての人に機会が与えられるのか、それとも白人男性が不当に優遇され続けるのか。
- 経営者は自動化から得られる利益を労働者にも分配するか、それとも自分と投資家だけのものにしてしまうか。
- 労働者を排除することが技術的に可能になった場合、企業は即座に従業員を解雇するのか、それとも雇い続け、新たに訓練を受けさせて別の仕事に従事させるのか。

- ＡＩ研究者は大量の雇用をもたらす新たな産業を生み出す大きなブレークスルーに注力するのか、それとも企業が既存の従業員の生産性を押し上げるだけのゆるやかな進歩を目指すのか。
- 古い職業から新しい職業への移行が困難な人に対し、社会的および経済的な支援は十分に用意されるのか。
- Google、Facebook、Amazonといった企業はＡＩを使って、人のもつ力を拡大し、信頼できる情報に人を結びつけ、生活の質を向上させるのか。それとも、格差を広げ、虚偽や陰謀説を拡散し、逃れられない監視ネットワークを構築するのか。

これらの問いが機械に触れていない点に注目してほしい。いずれの問いも人に目を向けているのだ。そして政治家、ビジネスリーダー、テクノロジストがこれらの問いにどう答えるかによって、ＡＩと自動化がどのように受け止められるか、すなわち破壊的な力か、人を助ける恩恵か、あるいはその中間かが決まるだろう。

ここでまた私のサブオプティミズムに話を戻そう。

明るい面、そして私がＡＩの可能性について全面的に懐疑的でない理由は、これらのテクノロジーをどんなふうに発展させるかについて決める力が私たちにまだ残されていることとだ。正しいやり方で臨めば、信じがたいほどの成果が得られる可能性もある。適切に設計し配備することができれば、ＡＩは貧困をなくし、病気を治癒し、気候変動を解消し、組織的な人種差別と闘う助けにもなり得る。労働を生活の中心から遠ざけ、喜びと生きがいに満たされて愛する人とともに過ごす時間を取り戻してくれる可能性もある。

逆に暗い面、そして私がシリコンバレーで暮らす友人たちの多くほど楽観的になれない理由は、現時点でＡＩの進撃を率いている人たちの多くが、私が先に述べたような目標を志向していないことだ。彼らは人間を苦役や困難から解放するつもりなどない。自社のアプリの利用率を上げるとか、経理部の効率を30パーセント改善するとか、そんなことを目指しているのだ。自分たちの仕事が一般の人にもたらす影響については気づいていないか、あるいは無関心だ。ＡＩの責任ある使用を心がけると口先では言っているかもしれないが、進撃の勢いをゆるめて考えるとか、自分たちの作るツールがもたらし得る害について考慮するとか、そんなことは何一つしていない。

信じてほしい。私は再びＡＩ楽観論者になりたいと思っている。しかし今のところ、人間がそれを邪魔しているのだ。

第2章
ロボットに奪われない仕事という神話

われわれ人間はニューラルネットだ。
われわれにできることは、
機械にもできる。

――ジェフリー・ヒントン
コンピューターサイエンティスト、
ＡＩパイオニア

何年か前、大勢の企業役員の集まる夕食会に招かれたことがある。まれに見る豪華な食事で、高価なシャンパン、フォアグラ、ビーフテンダーロインなどが供された。メインデイッシュが出てくるころには、この手の人たちの集まりではよくあるように、話題はＡＩと自動化になっていた。

役員たちが特に知りたがっていたのは、ロボットに奪われない仕事とはどんなものかということだった。機械がどうがんばっても人間にかなわない仕事とはどんなものなのか？

製造業は明らかにアウトだ。この点で一同は一致した。小売業、事務職、トラック運送もだめだ。ヘルスケア業界の企業役員は、放射線科医はＡＩに仕事を奪われるだろうし、皮膚科医もそうかもしれないと言った。別の役員は、金融やコンサルティングの分野で経験の浅い社員にまかされている仕事の多くは時代遅れになると言った。さらに別の役員は、「快適」な仕事はすべて自動化のリスクにさらされていると言った（私は礼節をわきまえて、彼らの言う「快適」の定義には、仕事絡みの食事会でシャンパンやフォアグラを堪能するような職業も含まれているのかと尋ねるのは控えた）。

私が発言する番になったが、言葉に詰まった。ロボットに奪われない仕事が存在するのは間違いないと私は思っていた。看護や教育、データサイエンスなど、自動化の影響を受けにくい職業があると数多くの専門家たちが言うのを耳にしていた。その一方で、まさにそれらの職業の自動化を目指すスタートアップがあることも聞いていた。そんなわけで、創造力と高度な問題解決能力を必要とする職業は機械で代替するのが難しいという、陳腐な見解を絞り出した。だが、自分の言葉が出まかせだとわかっていた。

食事会のあと、仕事の自動化を扱った研究について、もっときちんと調べ始めた。その結果、あの食事会で繰り広げられた会話の前提そのものに問題があったことに気づいた。ロボットに奪われ得ない仕事などないのだ。

たとえば、かつて機械には無理だと思われていた事柄を思い出してほしい。

1895年、高名なイギリスの物理学者ケルビン卿は、世界で最も好まれる空の移動手段として、飛行機が熱気球からその座を奪うという見方を退けた。「空気より重い機械が空を飛べるはずがない」というのが彼の言い分だった。[1]ところがその8年後、ライト兄弟がノースカロライナ州キティホークで動力飛行に成功し、気球の時代は終焉に向かった。

1962年には、数学者で言語学者でもあったイスラエルのイェホシュア・バー＝ヒレルが、コンピューターに訓練を施せば外国語を翻訳させることができるという見解を退け、「電子的なデジタル式コンピューターを翻訳に利用しても、画期的な変化が達成できる見込みは皆無である」と記した。[2]

この見方が誤っていたことを証明するにはだいぶ時間がかかったが、2018年の時点で、Google翻訳は1日に1430億語を処理し、通訳者への需要を著しく減らしている。[3]

ひどい外れ方をした予想で私が好きなのは、1984年に出されたものだ。『ニューヨーク・タイムズ』が空港への自動発券機の導入に関する記事を掲載した。[4]コンピューターが旅行代理店の人間の仕事を代行するようになるという考えに対しておそろしく懐疑的な専門家たちの言葉が引用され、ある旅行代理店のオーナーは「ボタンを押し間違えたらどうなる？」と言っていた。

このオーナーは自分たちを守ろうとしていたわけではなく、頭が悪いわけでもなかった。ただ、航空券という重大な買い物をコンピューターにまかせるというシナリオが想像できなかっただけだ。言うまでもなく、今ではほとんどの人が航空券をオンラインで予約していて、旅行代理店で働く人の数は激減している。

覚えておいてほしい。これらの予想は外野の無責任な観客から投げ込まれた、でたらめな見立てではない。同じ時代のたいていの人よりもすぐれたデータと多くの内部情報に通じた専門分野の第一人者の見解なのだ。こんな人たちでも、何度となく予想に失敗してしまう。

じつのところ、ＡＩについて予想するとなると、専門家の知識も大して役に立たないのかもしれない。オックスフォード大学の研究者による２０１４年の研究では、ＡＩの進歩の道筋についてテクノロジストたちが過去60年間に出した予想を集め、同じ時期に一般人が出した予想と比較した。その結果、両者のあいだに大きな違いはないことがわかった。研究者らは「ＡＩに関する予想は……当て推量と大差ないらしい」と記している。[5]

私は専門家を批判するつもりはない。テクノロジーによる変化のたどる道筋を予想することに異議を唱えるつもりさえない（未来予想に反対するなら、そもそも本書など書いていないはずだ）。ただ、ある特定のタイプの誤り、特に私たち自身の能力の過大評価や機械の能力の過小評価につながるバイアスにだまされて、私たちが危険な安心感を抱くことを危惧している。

リチャード・サスカインドとダニエル・サスカインドは著書『プロフェッショナルの未来』で、法律、医療、金融といったさまざまな分野の専門家に取材し、それぞれの業界で未来がどうなるかと展望を尋ねている。[6] 取材に応じた専門家のほとんどが、AIと自動化によって業界が大きく変容し、そこで働く者のなかには職を失う者もいると予想しながらも、自分の仕事は安泰だと信じていた。

これはあちらこちらで見られる現象だ。2017年のギャラップ社による調査では、アメリカの成人の73パーセントがAIによって「創出される仕事より排除される仕事のほうが多い」と予想する一方で、自分の仕事が奪われることを心配する人は23パーセントにとどまっていた。[7] 世界中のあらゆる職業において、賢明な人たちは、(a) AIは複雑な仕事も人間を上回る効率で遂行できるきわめて有効なテクノロジーであると信じる一方で、(b) 自分たちの仕事を機械ができるようになることは絶対にあり得ないとも思っているらしい。

信じがたいことだが、このように不快な現実を否定したがる否認主義は、機械がすでに職を危機にさらしている業界でも見られる。2019年、ジャーナリストでイラストレーターのウェンディー・マクノートンは、ネバダ州とユタ州とアイダホ州のトラックサービスエリアでトラック運転手に、自動運転トラックについてどう思うか質問した。[8] 企業はすでに自動運転トラックの技術開発に何十億ドルも投入しており、試作モデルがすでにアメリカのハイウェイを走っている（そして読者が本書を読むころには、試験段階を過ぎて製造段階に入っているかもしれない）にもかかわらず、ほとんどの運転手が自動運転トラックなど馬鹿げているといって、その可能性を一蹴した。

ある運転手はこう言った。「コンピューターがこの仕事を奪うなんて、あり得ない妄想だね。この仕事ができるのは俺たちだけだ」

仕事のどこまでが自動化される領域なのか

今まさに押し寄せているＡＩと自動化の波について混乱が生じている一因は、危険区域が広がってきたことだ。数十年間、自動化といえば反復的な手作業をもっぱら対象としていた。つまり危機にさらされているのは製造業のブルーカラーの仕事であり、ホワイトカラーの知識労働者はおおむね安泰だと思われていた。ところが今や、ＡＩや機械学習の用途として有望視される仕事の多くが、会計、法律、金融、医療など、計画や予想やプロセス最適化といった作業を大量に必要とするものだ。これらの仕事こそ、まさにＡＩの得意分野だということが明らかになったのである。

実際、ホワイトカラー労働者の**ほうが**、ブルーカラー労働者よりも自動化によって仕事を失う可能性が高いのかもしれない。ブルッキングス研究所が２０１９年に行なった調査では、スタンフォード大学の博士号候補者マイケル・ウェブの考案した手法を用いて、職業区分ごとにＡＩ関連の特許について記述した文章と労働省のデータベースからとった職務説明の文章の重なり具合を調べるため、「品質予想」や「推奨生成」など、両者に共通して出現する語句を探した。[9] 調査対象とした７６９の職業のうち、ウェブとブルッキングスの研究員らは、ほぼすべてにあたる７４０の職業が少なくとも近い将来に自動化されるリスクに直面していることを見出した。大学か大学院の学位をもつ労働者は、高校しか卒業していない労働者と比べてＡＩによるリスクにさらされている割合がほぼ4倍だった。この研究によれば、とりわけ自動化されやすい職業のなかには、サンノゼ、シアトル、ソルトレークシティーといった大都市圏で高給を稼いでいる職業も含まれていた。

この結果は、私たちがふつうＡＩや自動化のもたらすリスクについて抱く考えとは著しく異なっている。自動化など他人事だと思ってきた超高学歴の知識労働者は、これを警鐘ととらえるべきだ。

ウォール街のトレーダーたちは、すでに何年も前、自分たちが機械に置き換えられる可能性を痛感させられた。高頻度取引アルゴリズムや証券取引のコンピューター化のせいで、証券取引所に立つ何万人ものトレーダーが仕事を奪われたからだ。今、機械はまた別の職種に狙いを定めている。２０１７年、ＪＰモルガン・チェースがＣＯＩＮというソフトウェアプログラムを使い始めた。[10] 機械学習を利用して、特定タイプの金融契約をチェックするものだ。以前はこの種の書類をすべて人間がチェックし、そのために年間30万時間以上を要していた。ところが今ではほぼ瞬時に作業が完了する。トップクラスの金融企業の多くは、データ分析プラットフォーム「ケンショー」を採用している。[11] これはＡＩを利用して、昔ならウォートンビジネススクールの修了者を大量に必要としたような、基本的な財務分析を自動で処理する。ウェルズ・ファーゴ銀行による２０１９年の報告書では、この種のツールのせいで今後10年間に金融業界で働く20万もの人が職を失うと推定されている。[12]

医療の世界でも、かつては訓練を受けた専門家を必要とした仕事の多くをＡＩが引き受けるようになり、機械による改革が進んでいる。２０１８年に中国のテクノロジー企業が、トップレベルの医師15人からなるチームよりも迅速かつ正確に脳腫瘍などの病気を診断できる深層学習アルゴリズムを作った。[13] 同年にアメリカの研究者は、ＣＴスキャンで悪性腫瘍を検出して誤診率は放射線科医の20分の1というアルゴリズムを開発した。[14]

弁護士も安心してはいられない。２０１８年の研究では、アメリカでトップクラスの企業弁護士20人が、ローギークスというＡＩスタートアップの開発したアルゴリズムと対決した。[15] 契約法の基本中の基本である秘密保持契約書5通を見て、法律上の問題点をなるべく速く見つけるという課題に挑戦した。結果はアルゴリズムの圧勝で、アルゴリズムの正答率が平均で94パーセントだったのに対し、弁護士は平均85パーセントにとどまった。報酬請求対象時間については、さらに差が開いた。課題を完了するまでに弁護士は平均92分かかったのに対し、ローギークスのＡＩはわずか26秒で終わらせたのだ。

ホワイトカラー労働者のなかでも最高の雇用機会をもっと長らく思われてきたコンピュータープログラマーも、自動化のリスクにさらされている。プログラマーでなくてもアプリが作れる「ノーコード」や「ローコード」の開発インターフェースや、Amazon ウェブサービスなどの集中管理型サービスプロバイダーの登場により、企業はソフトウェアの作製や技術インフラの管理に要する人手を削減できるようになった。ＡＩエンジニアは自分の仕事を自動化することで自ら職を失っているかもしれない。２０１７年にGoogleは、機械学習モデルを使ってほかの機械学習モデルの開発やトレーニングをするAutoML（オートエムエル）というツールを公開した。[16] Googleによる初期のテスト結果は見事だった。一般的な画像ラベリングを実行できるニューラルネットワークを作れと指示したところ、GoogleのＡＩはGoogleのエンジニアがプログラムしたモデルよりも精度の高いモデルを作製してトレーニングすることができたのだ。

ジャーナリストはどうか？　もはや考えるまでもない。ジャーナリストの仕事の多くは大幅な自動化が可能で、とりわけ定型的で予想可能な記事を書く者の仕事は自動化されやすい。2020年、いくつかのメディアが、非営利研究所のオープンAIが開発した高度なAIプログラムであるGPT-3を使った実験を始めた。このプログラムは指示を受けると機械学習を使ってそれを遂行する。実験では説得力のある長い文章を書いて、その明確さと文体で編集者たちを驚嘆させた。実験に参加した『ガーディアン』紙は、GPT-3にAIと機械学習の未来に関する論説記事をまるごと書かせた。その結果は「全体として、人間が書いた多くの論説記事よりも校閲に時間がかからなかった[17]」。

機械がホワイトカラー労働者の仕事をすべて引き受けると言いたいわけではない。仕事の大半を引き受けるというわけでもない。しかし名門大学の学位とか、LinkedInに登録した立派なプロフィール、ドルで6桁の給料も、もはや時代に取り残されるのを防ぐ楯にはならないという警告として、実験の結果を受け止めるべきだろう。

思いやりや創造性も対象

自動化できない仕事としては、「思いやり」の仕事や「創造的」な仕事もよく挙げられる。つまり、人を思いやる仕事と、新しいアイデアを生み出す仕事である。

それでも研究者や起業家は、これらの領域に属する仕事の一部を自動化することに成功している。スタンフォード大学の研究者らは先ごろ、ウォボットという「チャットボットセラピスト」を開発した[18]。これは機械学習と標準的な認知行動療法を用いて、ユーザーに自らの問題を語らせる。この手法はユーザーの鬱や不安の症状を著しく軽減するということが、査読を受けた研究で確かめられている。日本では、高齢者に薬の服用を思い出させ、動作や食事を助け、気にかけてくれる存在がいるという感覚を与えることを目的として、「ケアボット」の開発が進められている。これらのロボットは人間のやりとりを完全に遂行することはできないが、その必要もないかもしれない。高齢者介護ロボットの有効性を調べた初期の研究（ニュージーランドのオークランド大学の研究者らによる２０１９年の研究など）で、この種のロボットは認知症を患う人とのやりとりにおいて人間とまったく同等に有効であることがわかっている[19]。

さらに、感情を読み取って解釈する能力など、人間だけがもつと思われていたスキルの一部も、じつは機械で代替できる可能性がある。実際、コンピューターサイエンスのなかに「感情コンピューティング」と呼ばれる研究分野があり、ＡＩを使って発話や顔の微細な表情を分析することによって人の感情を特定している。こうしたシステムの有効性や精度については活発な議論が続いているが、なかにはめざましい成果を上げているものもある。たとえばユニバーシティー・カレッジ・ロンドンのエバ・Ｇ・クルムフーバーらによる２０１９年の研究において、意図的に感情を表現した人物の動画を見てその感情を特定するタスクでは、ＡＩ分類システムのほうが人間よりも成績がよかった。それに対し、意図せず自然に表出された感情を特定するタスクでは、両者の成績はほぼ同等だった。[20]

創造的な仕事については、ＡＩがレオナルド・ダ・ヴィンチをルーブル美術館から追い出すには、まだしばらくかかるかもしれない。しかしコンピューターの支援を受けたアート制作を扱った初期の実験では、有望な結果が得られている。私がこのあいだ足を運んだ美術展では、すべての絵画が「敵対的生成ネットワーク」と呼ばれる機械学習技術を用いたＡＩによる作品だった。それらの絵は忘れがたく不気味で美しく、会場内の収集家たちが競うように購入していた。なかには1枚の絵に数千ドルを出す人もいた。

ＡＩはほかの創造的な分野でも大きな進歩を示している。今ではアルゴリズムが単独で脚本を書き、ビデオゲームをデザインし、建築用の設計図を描いている。研究によれば、経験豊富な人間の作品よりも機械の生み出した創作物のほうが人に好まれることも少なくない。

ジャーナリストのクライブ・トンプソンは先ごろ、ＡＩを使って新たな曲を即座に生み出せる作曲ツール「ジュークデック」に関する記事を書いた。[21]それによると、ジュークデックはメインアクトに代わるものにはならないかもしれないが、サウンドトラックや音楽ストッククライブラリーの制作に携わるスタジオミュージシャンと肩を並べるくらいのことはできそうだ。

「心に残るような名曲ではなかったが、動画や広告のために人が作った曲程度なら余裕で勝負できるクオリティーだった」と、トンプソンはジュークデックが彼のために作ったデモ曲を評した。「人間の作曲家なら、このくらいの曲を作るのに少なくとも1時間はかかるだろう。ところがジュークデックは1分と経たぬうちに完成させた」

仕事の質についての議論

「ロボットに奪われない仕事」をめぐる議論には、根本的な問題がもう1つある。それは、この議論では職種ばかりがあまりにも重視され、仕事の質があまりにも軽視されていることだ。

AIと自動化に関するこれまでの研究は、ほとんどが自動化のリスクを職業区分ごとにざっくりと分析している。すべての教師、すべての建築士、すべての工場労働者といった具合に、仕事を失う確率が区分全体で一様だと考えているのだ。WillRobotsTakeMyJob.com（ロボットは私の仕事を奪うのか）というウェブサイトに至っては、職業を入力するだけで自動化による失業の推定リスクが表示される（私が「記者および通信員」で試したら11パーセントと出たが、率直に言ってこれは楽観的な数字だと思われる）。

現実には、同じ職業区分でもたいていの場合、自動化が容易に可能なタイプと非常に困難なタイプの仕事が混在している。「アーティスト」といっても、アートセラピーのクラスで自閉症患者を指導する人もいれば、テーマパークのシックス・フラッグスで愉快な漫画を描く人もいる。「医師」の区分には、田舎町で住民に敬愛される小児科医も入るし、一日中ラボでスキャン画像を分析する放射線診断医も入る。「ジャーナリスト」は政府の最高レベルで起きた不正行為や犯罪を暴く調査報道記者を指すこともあれば、オンライン配信用に企業収益報告書を要約する人を指すこともある。職業名が同じでも、ＡＩに仕事を奪われるリスクは同じではない。

こうした職業レベルの研究には、定型的で予想可能だと思われている仕事がしばしば実際にはそうでないという問題もある。

たとえば、運輸保安庁（ＴＳＡ）の職員の仕事を見てみよう。飛行機の旅客に対し、バッグから液体とノートパソコンを取り出すように指示し、ボディースキャナーを通過させ、禁止品が入っていないか荷物を検査するという仕事を毎日繰り返す。特別な能力がなくてもできる定型的な仕事――だろう？　職員が一日中Ｘ線装置を眺めているだけで済むなら、確かにそうだ。しかし実際には、ボディースキャナー検査を受けてはいけない病気をもつ旅客とか、ＩＤを携行せずに旅行する人など、想定外の事態や変則的な事案に対処しなくてはならない。遺失物を捜索し、不安におののく旅客を落ち着かせ、安全を脅かすおそれのあるふるまいのわずかな兆候にも目を光らせる。ほかにも職務明細書には書かれていないが放置したら空港が機能停止に陥るような、細かい仕事が無限にある。ＴＳＡ職員の仕事を機械にやらせるのは、データから想像されるよりもおそらく難しい。

反対に、一見思われるよりもじつは**もっと**ロボットに向いている仕事もある。たとえばファッションデザインがそうだ。服をデザインするのは純然たるクリエイティブな仕事で、コンピューターには無理だと思われるかもしれない。ところが現代のファッションデザインの多く、特に「ファストファッション」チェーンやネット通販ブランドの商品デザインは、もっぱらパターン認識とデータ分析、そしてすでに売れ筋となっているアイテムをもとにしたバリエーションの開発で成り立っている。じつのところ、これはＡＩが非常に得意とする仕事だ。実際、すでに一部の企業はファッションデザインにＡＩを導入している。２０１７年にAmazonの研究チームが、特定のスタイルの服の画像を分析して、同じスタイルの服の作り方を学習する機械学習アルゴリズムを開発した。[22] ＭＩＴの卒業生２人が起業したＡＩファッション企業のグリッチ社は、全面的に深層学習アルゴリズムでデザインした服を販売している。[23]

ＡＩのせいでＴＳＡ職員が失職する可能性は皆無なのか。ファッションデザイナーの仕事がすべて奪われることはあり得るのか。もちろん、そんなことはない。自動化の影響というのはおそらく、ある職業が完全に消滅する一方で別の職業が無傷で残るというような、単純なものではないだろう。

要するに、例の豪勢な食事会で私が企業役員に告げるべきだったのは、問いが間違っているということだ。ロボットに奪われない仕事など存在せず、職業名で運命が決まるわけでもない。

機械に仕事を奪われる危険を回避する手立てについては、仕事の種類よりも仕事の「やり方」のほうがはるかに重要だ。

第3章 実際にはどのように機械が仕事を奪うのか

正体を隠したテクノロジーもある……テクノロジーらしく見えず、そのためさほど批判を受けず、場合によっては気づかれもせず、善や悪のために働く。

——ニール・ポストマン

ロボットだらけの未来に暮らす一家を描いた1960年代のアニメ番組『宇宙家族ジェットソン』に、よく知られたエピソードがある。人が機械で置き換えられるときにはこうなるだろうと、私たちが想像する典型的な段取りが描かれているのだ。このエピソードではまず、ジョージ・ジェットソンが工場に出勤する。職場に到着すると上司の部屋に呼ばれ、これまでジョージがしてきた仕事をこれからはユニブラブというロボットにやらせると告げられる（ジョージには、ユニブラブのアシスタントという屈辱的な仕事が与えられる）。

半世紀が過ぎたが、職場の自動化をめぐるステレオタイプ的なイメージは変わっていない。ある朝出勤すると、自分の席にロボットが座っている。気まずそうな顔の上司に襟首をつかまれ、悪い知らせを告げられる。

このような1対1の置き換えは、今でもときおり起きている。たとえば2019年、ウォルマートが床清掃ロボットの一団を導入し、同時に数百人の清掃員を解雇した（『ワシントン・ポスト』紙によると、ジョージア州マリエッタのウォルマート店舗の従業員たちは、そこで皆に愛されていたのに解雇されてしまった清掃員の名をとって、床清掃ロボットをフレディーと名づけた）[1]。しかし、今では『ジェットソン』式の解雇はどんどんまれになってきている。それはなにより資本主義的な効率のためである。基本的に、既製のハードウェアロボット1台が1人の人間の代わりとなるなら、そんな置き換えはすでに完了しているはずだ。

自動化のリアル

昨今では、保険会社で営業に携わるジェイミー・ラーマンから聞かされたような話のほうが一般的だ。ニュージャージー州出身のラーマンは、全国で事業を展開する大手保険会社に属する家族経営の小さな支店で働いている。10年前に彼が営業の仕事を始めたころ、支店はにぎやかだった。朝から晩まで営業の電話をかけ、新規契約のために見積もりを出し、顧客への請求を処理する担当者たちでひしめいていた。ところが、これらの業務の多くが新しいテクノロジーで自動化された。今ではスタッフの人数は当時の半分に減り、オフィスのデスクは空席が目立つ。

「従業員が解雇されているわけではありません。誰かが辞めても、すぐに新しい人を補充する必要がだんだんとなくなってきたんです。もう人手はそんなにたくさん要りませんから」とラーマンは語った。

自動化による雇用喪失が、これよりさらにわかりにくい形で起きる場合もある。次の（完全に架空の）シナリオを見てほしい。

1. 8万人の従業員を抱えて世界各地に工場を擁する大手航空機メーカーでは、新しい航空機の売り上げがこの数年間で急激に落ちている。理由の1つは、サンフランシスコで起業した従業員20人のスタートアップが開発したソフトウェアにある。これは機械学習を利用しており、特定部品の交換や整備が必要なタイミングを突き止める予測アルゴリズムを用いることによって、航空機の寿命を延ばすことができる。このソフトウェアのおかげで、航空会社は保有するジェット機の買い替え頻度を下げ始め、航空機メーカーの売り上げは数四半期連続で見込みを下回る。株主や役員会から圧力を受けて、航空機メーカーはいくつかの工場の閉鎖と従業員25パーセントの解雇を決定する。

2．あるトラック運送会社は、数十年前から同じ大規模小売店の貨物を輸送してきた。ところがある日、この小売店の配送部門が配送ルートを効率化して同じ量の貨物を運ぶのに必要なトラックを減らそうと、ＡＩを利用した新たな「貨物最適化装置」を使い始める。翌年、運送会社では受注が30パーセント減少し、運転手と配車係を大量に解雇せざるを得ない。

3．この20年間、あるニューヨークの名門法律事務所では、毎年夏にロースクール修了者を50人採用してきた。つい最近、最大顧客であるウォール街の投資銀行が、特定タイプの文書を自動的にチェックして法令遵守に関する問題点を指摘するＡＩツールを導入した。時給４００ドルの法律事務所のアソシエート弁護士でなくてもこのプログラムは操作でき、時給40ドルの若手行員でこと足りる。そこで銀行は社外コンサルタントの利用を大幅に削減する。収入予想にこの変更を織り込んでいなかった法律事務所のパートナー弁護士たちは、次年度のロースクール修了者の採用数を25人に抑えると決める。

以上のシナリオには自動化に伴う雇用喪失が登場するが、いずれも人間から機械へのダイレクトな1対1の入れ替えではない。ここで描かれているような雇用喪失が自分の身に起きたとしても、そこにテクノロジーが関与しているとは思いもしないかもしれない。目に見えるのは、予算削減、空っぽのトラック、採用枠の縮小といった二次的な影響だけだ。

このような作用は、テクノロジーライターのブライアン・マーチャントが「見えない自動化」問題と呼ぶ現象の一部をなす[2]。彼によれば、「自動化が導入されたからといって、労働者が直接的にすぐさままとめて追い出されるわけではない」。その影響はしばしば徐々に現れ、たとえば給料が減らされたり、欠員が補充されなかったり、離職率が上がったりといった形をとるという。

実際、機械が労働者の雇用を奪う場合、一般的なパターンがいくつかあるが、いずれもジェットソン式のシナリオをたどることはないのだ。

大企業並みの業務を中小企業の人数で

機械による雇用喪失の第1のパターンは、自動化によって中小企業が自らよりも定評のある大企業と同程度の業務をはるかに少ない人員で遂行できるようになることだ。

ハーバード・ビジネススクール教授のマルコ・イアンシティとカリム・R・ラカニは、共著した『AI時代の競争』(*Competing in the Age of AI*) において、中国のeコマース大手アリババグループの傘下にある金融サービススタートアップ、アントグループを例に引いてこのコンセプトを説明している。[3] アリババグループの決済プラットフォーム、アリペイを運営するアントグループは、世界有数の価値をもつ民間企業である。そうなった最大の理由は、従来型の銀行が提供してきた労働集約的なサービスの多くを機械処理に置き換える方法を見出すことができたからだ。

たとえばアントグループ傘下のMYバンクは、「3-1-0」と呼ばれる手続きを売り物とする融資アプリだ。融資の申し込みが3分、アルゴリズムによる承認が1秒で完了し、人手がゼロなのでこう呼ばれる。MYバンクはこの方法でこれまでに数千億ドルもの資金を貸し出しているが、アリババをはじめとするさまざまなパートナーから集めた消費者データを利用して、債務不履行率を従来の融資機関の多くをはるかに下回る1パーセント前後に抑えている。

２０１８年の時点で従業員がわずか３００人ほどだったＭＹバンクは、アルゴリズムの導入に伴って何千人もの融資担当者の解雇を迫られることなどない。そもそもそんなにたくさんの融資担当者を雇っていないのだ。とはいえ、中国のほかの銀行や融資会社にはこの職が存在する。ＭＹバンクが成長を続ける一方で、他社の多くが倒産を回避するために人件費の削減を迫られることは間違いない。

古いやり方を新しいやり方に

機械は特定のタスクの実行方法を変えることによって、人の代わりを務めることもできる。

かつては写真業界の巨大企業だったコダックを見てみよう。１９８８年、コダックは好調な業績を誇り、14万５０００人もの従業員を抱えていた。そのなかには創業の地であるニューヨーク州ロチェスターの住民が多数含まれていた。そのころ、コダックの社員にとって最大の脅威は何かと役員に尋ねたなら、アウトソーシングとか海外での競争といった答えが返ってきただろう。あるいは未来志向の強い役員なら、デジタルカメラの普及を予言したかもしれない。

ところが、海外での競争もデジタルカメラも、コダックの息の根を止めはしなかった。

それをやったのは、スマートフォンとソーシャルメディアだった。何億という人たちが高解像度のカメラを搭載したiPhoneやAndroid端末をポケットに入れて持ち運ぶようになると、写真撮影が特別な機器を必要とする有償のサービスとは思われなくなり、ＤＩＹの趣味と見なされるようになった。テクノロジー企業はコダックを破滅させるつもりはなかったが、写真をプリントすることからウェブサイトにアップロードすることへと消費者の基本的な行動を変えることによって、実質的にコダックの命運を決めてしまった。コダックは２０１２年に破産を宣言し、現在の従業員はわずか５０００人ほどまで減少している。

コダックで働いていた14万人の雇用が自動化によって喪失したと見るのは筋違いだろう。というのは、**コダックでは自動化は起きなかった**からだ。自動化が起きたのは、MySpace、Facebook、Instagram、Twitterなど、写真共有ツールを提供する企業だ。フィルムケースを目にすることなく写真のオンライン共有を可能にするテクノロジーをこれらの企業が採用した結果、ロチェスターの住民たちは職を失うこととなった。

フルタイムの仕事をフリーランスに

企業は機械を使うことで、フルタイムの従業員をパートタイムや派遣、あるいは臨時の従業員に置き換えることもできる。職務を細分化して、比較的経験の乏しい人でも遂行できる標準化されたタスクにしたり、少数の管理職で大人数の柔軟な労働力を監督できるようにしたりするのだ。

この動きの典型例としては、単発の請負業務で成り立つ「ギグエコノミー」のサービスを提供するUber、Lyft、Airbnbといった企業が挙げられる。これらの企業はいずれも、車や余分な寝室をもつ人がプロのドライバーやホテル経営者と競争できるようにした。もっとよい例は、私の業界で起きていることかもしれない。数十年前、ジャーナリストは新聞社や雑誌社、テレビ局に雇われ、虚構から事実を選り分けてターゲット層にふさわしいニュースを選び、その日のニュースを重要度に従ってランク付けする仕事を与えられていた。この作業に携わる人たちは「編集者」「制作者」「記者」と呼ばれていた。そのような人たちが何万人もいて、ほとんどの人がほどほどの中流階級の暮らしが送れるくらい稼いでいた。

今やこれらの仕事が大量に消え去り、そのあとに自動化時代ならではの「コンテンツモデレーター」という職種が進出してきた。かつての編集者や制作者のように、コンテンツモデレーターは、Facebook、YouTube、Twitterなどのプラットフォームから一般市民に向けて発信される情報が、公共への提供に適したものであるように目を光らせている。通常、彼らはプラットフォーム自体に雇われるのではなく、労働者派遣エージェントやコンサルティング会社を通じて仕事を請け負う。最低賃金を大幅に上回る収入を得る人はまれだ。一日中、不適切なコンテンツを選り分けているが、かつて編集者や制作者が記事の採否について即座に主観的な判断を下すのに必要な能力を習得するために受けたようなトレーニングを、彼らはほとんど受けていない。代わりに、管理者から支給される客観的な「コンテンツガイドライン」や決定木(ディシジョンツリー)に従う。テクノロジー企業の究極の目標は、このプロセスを自動化して、ヘイトスピーチや生々しい暴力映像をはじめとする禁止コンテンツを確実に見つけ出すＡＩで、人間のモデレーターを置き換えることだ。しかし当面は、定額の給料を受け取る従業員の代わりに低賃金の臨時労働者を雇うだけだろう。

自動化が私たちの暮らしや職場に変化をもたらすやり方は目につきにくく間接的なので、単一の脅威の性質を明確に指摘するのはしばしば難しい。しかし初めて触れたときには無害で役立つものと思えたテクノロジーが、後から振り返るとじつはもっと破壊的な影響をもたらしているのに気づくことも少なくない。

１９８４年、税務処理ソフトのターボタックスが登場したときには、仕事を奪うロボットとは思えなかった。見たところ、コンピューターマニアがパソコンで税務申告書を作成するためのソフトウェアにすぎなかった。ところがやがて、多数の税務申告書作成者が新たな職を探す必要に迫られた。

１９８５年、Microsoft のExcelが発売されたときには、仕事を奪うロボットとは思えず、ただの表計算プログラムにしか見えなかった。ところがやがて、データを手作業で入力する事務員を多数抱える部署がまるごと不要になった。

　２００６年、Facebookに「ニュースフィード」という機能が加わったときには、仕事を奪うロボットとは思えず、学生時代の片思いの相手で最近独身に戻った人を見つけ出す手段としか思えなかった。ところが今や何十億という人たちに情報をまき散らす製品に変貌し、オンライン広告市場を支配し、新聞や雑誌への需要を縮小させている。

　これらのツールと同じように、現在の私たちの生活に存在しているテクノロジーの一部が、やがて人の仕事を奪うことはほぼ確実だ。歴史に目を向ければ、機械は私たちが予見しない形で暮らしをかき乱すという教訓が容易に学べる。私たちは、映画『ターミネーター』シリーズに登場するＡＩコンピューターのスカイネットについては心配するが、表計算のことは気にかけない。変化はしばしば私たちを不意討ちで襲う。

第4章 上司はアルゴリズム

窒息しそうだった。脳味噌はもう要らなかった。人形みたいにただ座って、あれをにらみつけるだけ。俺はずっとすべて自分で計画し、支配してきた。それが今では俺の代わりに誰かが何もかも決めているみたいだ。馬鹿にされている気がする。[1]

——1970年、自動化直後のゼネラル・エレクトリック社の工場で働く従業員平日は毎日、コナー・スプラウルズはロードアイランド州ウォーウィックにあるメットライフのコールセンターで、カスタマーサービス係として働いている。出勤してデスクのコンピューターを立ち上げると、画面の右下に小さな青いウィンドーが現れる[2]。

これはメットライフでカスタマーサービス係を監視するために使われている「コギト」というアプリベースの「ＡＩコーチ」のウィンドーだ。スプラウルズが電話を受けると、コギトはその会話を聞いてリアルタイムでフィードバックを出す。話し方が速すぎると判断されれば、ウィンドーに速度計の絵が現れて、もっとゆっくり話すように促す。眠たげな話し方をすると、コーヒーカップのアイコンが現れて注意を喚起する。なんらかの理由でスプラウルズが顧客の気持ちに寄り添っていないと判断されれば、「共感せよという合図」のハートのアイコンが現れて、顧客と同じ気持ちになるよう促す。

古典的な職場自動化というと、私たちはたいてい機械が低レベルの単純作業をして、人間がそれを監督している光景を思い浮かべる。ところが今日の職場では、ＡＩが出世して中間管理職に就いていることが多い。カスタマーサービスから金融、フードサービスにまで至る多様な業界で、今やソフトウェアが従業員のトレーニング、品質モニタリング、勤務評定といった管理業務を遂行している。いずれもかつては人間がやっていた仕事だ。

上司がアルゴリズムというのは、最近に始まったことではない。20世紀にも「プロセス最適化」ツールというのがあって、製造業の労働者からさらなる効率を絞り出していた。

サービス業では、何十年も前からクロノスなどのいわゆる「ダイナミックスケジューリング」ソフトウェアを使い、各社で必要となるスタッフの予測にもとづいて従業員のシフトが組まれてきた。しかしＡＩと機械学習のおかげで、高度な管理業務も機械にまかせることが可能になった。Amazonでは複雑なアルゴリズムを使って倉庫作業員の生産性を追跡していて、聞くところによると、働きの悪い社員をクビにするのに必要な書類も自動的に作成できるという。[3] ＩＢＭは自社で開発したＡＩプラットフォームのワトソンを使って、従業員の勤務評定をしている。つまり、過去1年間の実績だけでなく、アルゴリズムによる来年度の予想もボーナスの額に影響する可能性があるということだ。[4] UberやLyftといったオンデマンドのプラットフォームでは、人間による監督を完全に廃止して、給料や人員配置やトラブル解決にかかわる判断はアルゴリズムにまかせている。

アルゴリズムによる管理を扱う業界は、このところ景気がいい。コギト以外にも、小売業向けのＡＩ企業としては、ユニクロやセブン-イレブンなどを顧客とするシリコンバレーのスタートアップ、パーコラータなどがある。同社は店内センサーを使って各従業員の「真の生産性」のスコアを算出している。[5] 同じくＡＩスタートアップのビーコムは、従業員の給与と年末賞与の計算を自動化している。「従業員管理」システムのネクサスＡＩを使えば、「成績優秀者」や「相性のよさ」といった属性をはじき出し、それにもとづいて従業員のチーム編成ができる。

メットライフのコールセンターを訪れたとき、私はコギトのソフトウェアが導入されてまだかなり日が浅いにもかかわらず、大きな権限を与えられていることに驚いた。コギトが各従業員の受け取った通知の数を追跡してスコア化すると、管理職はこれを使って従業員の長期的な成績を把握する（従業員は画面上でコギトのウィンドーを最小化してはいけないことになっていて、仮に最小化したら、コギトから監督者に通知が行く）。従業員には今も人間の管理職がついている。メットライフは給与や勤務評定などの判定材料としてコギトのスコアを使うことはないと私に言ったが、国際営業責任者のクリス・スミスによれば、コギトのおかげで成績不振の従業員を改善することができたそうだ。

「標準よりも数分ほど通話の長い社員がいました。コギトで調べたところ、繰り返す必要のない情報を繰り返していることがわかったのです」とスミスは説明した。

メットライフではコールセンターの従業員１５００人以上にコギトのソフトウェアを使っていて、そのおかげで顧客満足度のスコアが13パーセント上がったという。同社を訪問した際に話を聞いた従業員たちは、コギトで管理されることを嫌がってはいないようだった（もっとも、社の企業広報チームの担当者が同行していたので、努めて感じのよいふるまいをしていた可能性はある）。全体として、このＡＩはいくらかわずらわしいとはいえ、耐えがたいというほどではないようだった。

「導入当初は『通話のたびに、これにどやされるのか』といった不安の声もありましたが、今ではそう思う人はいません。便利なテクノロジーの1つだと思うようになりました」とスプラウルズは言った。

同じくメットライフで働くトーマスは、コギトをさほど快く思っていない。「初めのうち、やたらと通知が出ました。私の話し方をまだよくわかっていなかったので」。特にしょっちゅう指摘されたのが「絶え間なく話している」ことで、顧客にも口を挟むチャンスを与えるようにと促された。指示に従ってもなお、早口すぎるとか、共感を示せなど、自分としてはちゃんとやっているつもりのことでアラートが止まなかった。

「アラートを無視することもあります。自分は間違っていないという自信がありますから」

アルゴリズムによる管理を支持する人たちは、人間の上司には人間なりの欠点があるとしばしば指摘する。それは確かにそのとおりだ。性急な判断に走ったり、規則を逸脱したり、えこひいきしたりする。極端に自己中心的であったり冷酷であったりもする。自動化は、こうした最低な上司を排除する一方で、すぐれた上司にはよりよいツールと情報を与えてさらに力量を伸ばすことができると考えられる。

これに取り組んでいるスタートアップがある。Googleの元役員、ラズロ・ボックが創業したフムは、AIを使って管理職の資質を向上させようとしている。スイートグリーンやオファーアップなどを顧客に抱える同社は、管理職に一日中メールやテキストメッセージを送り、自身の下した決定をもっとわかりやすく説明せよとか、部下にもっとダイレクトなフィードバックをせよなどと「後押し」する。[6] コーチ・アマンダ、バタフライ、Qストリームなどのアプリも、これと同じような自動化された管理職トレーニングシステムである。

AI上司に反抗する人々

この種のプログラムの長期的な効果は、まだはっきりしていない。それでも、人間による十分な監視を行なわない状態で不透明な管理アルゴリズムを実行すれば、トラブルが起こりやすいことは明らかだ。インスタカートをはじめとするオンデマンド方式のデリバリーサービスで働く従業員たちが、団結して「スト」を決行したことがある。たとえばインスタカートのアプリでは、客のくれたチップを基本給に上乗せするのではなく繰り込む仕組みになっていたので、従業員がこれを不服として抗議したのだ。[7] フルタイムのユーチューバーたち（この世で最もダイレクトに機械で管理されている人間かもしれない）は、YouTubeできわめて重要な意味をもつレコメンドアルゴリズムを検証し、自分のチャンネルが受けている影響について不満を訴えている。Uberのドライバーを対象とした2019年の調査では、賃金から勤務評定に至るまですべてが不透明で不可解な機械に決定されるというアルゴリズムによる管理体制に不満を抱き、人間らしさを奪われていると感じているドライバーが多数にのぼることが判明した。[8] 多くのドライバーは、ほかのドライバーと結託してシステムの裏をかき、特定地域でわざと繁忙時価格を発動させるなど、あの手この手で抵抗していた。

組織の中で機械のもつ権限が拡大するにつれて、このような策略はますます頻繁に用いられるようになるかもしれない。この先、私たちはみなユーチューバーやUberのドライバーと同じように、人のキャリアを助けたりぶち壊したりする力をもつ気まぐれな機械に運命を握られていると感じるようになるかもしれない。職場のＡＩは私たちを雇ったりクビにしたりするだけでなく、日ごろから仕事のやり方を導き、私たちがミスしたらそれを指摘し、よい結果を出したらほめてくれるようにもなるだろう。「社内政治を牛耳る」ことが「従業員管理ソフトウェアを熟知する」ことと同義になるだろう。「敵対的な職場環境」は横暴な上司のせいではなく、適切なトレーニングを受けていない機械学習モデルのせいかもしれない。労働者にとって最善の道は、そんな機械の権威を甘受することなのか、それとも変化を起こすことなのか、その問いに答えを出すのはこれからだ。

第5章
凡庸なボットに注意せよ

あなたの行為は、受給資格のない給付金の受給を目的として故意に情報を操作または秘匿（またはその両方）したことを示しています。……ミシガン戦略基金法第62条b項により、あなたは受給資格を喪失しました[1]。

――ミシガン州の失業保険局が使用している詐欺検出アルゴリズムMiDAS（ミシガン州統合データ自動システム）のせいで誤って給付金を差し止められたミシガン州の住民が受け取った通知

考えられる限り最も恐ろしいロボットを想像してほしい。それはターミネーターみたいな、武装した人型殺人マシンのようなものだろうか。あるいは暴走して人を逃げ惑わせる自動運転車みたいなものだろうか。はたまたネットで拡散される動画に登場するような、サッカーをしたり障害物を巧みによけて走ったりする（率直に言って恐怖をかき立てる）4本脚のロボット犬みたいなものだろうか。

この種のロボットは、私たちの社会に存在する自動化を最もわかりやすく物理的に具現化したものであり、私たちが機械による支配や脅威を危惧する場合に思い描くのはだいたいこのタイプだ。

しかし、少なくとも短期的に見て最大のリスクは、誰も大して注意を向けていないような自動化から生じると私は思っている。

私はこれを「凡庸なボット」と呼んでいる。このなかには、警戒すべきタイプが大きく分けて2つありそうだ。

官僚的ボット

1つは「官僚的ボット」と私が呼ぶもので、正体を隠した匿名のアルゴリズムだ。政府機関、金融機関、医療システム、刑事裁判所、仮釈放審査委員会などがこれを使い、人の一生にかかわる重大な決定を下す。それにもかかわらず、AmazonやGoogleといった企業が作る消費者向け自動化製品に向けられるような注目や検証を受けることはほとんどない。オールバニー大学の政治学教授、バージニア・ユーバンクスは、著書『格差の自動化』において官僚的ボットの普及に着目し、州政府や地方自治体がこれを使って低所得層住民の住宅補助や医療費補助といった重要な給付金の受給資格決定プロセスを自動化する方法を検証している。[2] ユーバンクスによると、この種のシステムは設計や管理がしばしば杜撰(ずさん)で、アルゴリズムにメディケイドや食糧切符を奪われた理由を知ろうとする受給申請者をカフカ的な悪夢に放り込むこともある。

ミシガン州の失業保険の事例のように、官僚的ボットの犯したミスが発見されて、あとで人がその措置を取り消すこともある（ＭｉＤＡＳアルゴリズムに誤って給付金の受給を却下されたおよそ4万人のミシガン州民を代表する集団訴訟が、今もなお係争中である。州があとで調べたところ、ＭｉＤＡＳのエラー率は93パーセントに達していた）。一方で、こうしたミスが人の一生を変える結果につながることも少なくない。２００７年、カリフォルニア州保健省の使っていた自動システムでエラーが生じ、数千人にのぼる低所得の高齢者や障碍者の給付金が誤って打ち切られた。[3] オハイオ州では、何年もかけて州の給付金処理ソフトウェアを整備した結果、数千人の州民が補助的栄養支援プログラム給付金を不当に不支給とされたり、必要な書類が間違った住所に郵送されたりする事態に至った。[4] アイダホ州では、州のメディケイド管理システムの自動プロセスに不備があったせいで、心身に障碍のある州民数千人が説明もなく給付金を大幅に削減されてしまった。[5]

ユーバンクは、人間による監督をほとんど受けない官僚的アルゴリズムに市民を託せば「社会のセーフティーネットが破綻し、貧困者が犯罪者扱いされ、差別が増長し、国民の最も大切な価値観が損なわれる」ことになると記している。確かにそのとおりだ。この種の重要なシステムの自動化がさらに進めば、不適切なプログラミングや不十分な監視のせいで、人の一生にかかわるミスの起きるリスクは増大するばかりだ。

バックオフィスボット

懸念すべき自動化の第２のカテゴリーは、私が「バックオフィスボット」と呼んでいるものだ。バックオフィスボットというのは、大きな組織が機能するには欠かせない、地味でつまらない作業を処理するソフトウェアプログラムである。大企業で働いている人なら、業務コーディネーターとか手当管理者といった具体性を欠いた響きの肩書きをもつ人を知っているだろう。バックオフィスボットは、まさにこのタイプの人の代わりとなるように設計されている。

こうしたソフトウェアの多くは「ロボティックプロセスオートメーション」（RPA）と呼ばれるカテゴリーに属する。本書の「はじめに」で紹介したカンファレンスを主催したオートメーション・エニウェアはRPAの大手ベンダーだが、この分野ではほかにもUiパス、ブループリズム、クライオンなど、聞いたことのないような企業もある。これらの企業を合わせると、その価値は数十億ドルにのぼる。めざましい成長ぶりを見て、大手テクノロジー企業もRPA事業に参入している。2019年、MicrosoftもRPA市場への参入の一環として（警告しておくが、眠りに落ちずにこの一文を最後まで読み通すには、ダブルショットのエスプレッソが必要かもしれない）、「エンドツーエンドの自動化ソリューション」を同社のクラウドベースの「パワーオートメート」プラットフォームに付加して「API自動化をサポートするために幅広く利用されている275以上のアプリやサービスのためのパワーオートメートの既設コネクターにUIフローの機能をつなぐ」と発表した。[6]

これはAIカンファレンスで賞を獲得したり査読ありの学術誌で発表されたりするような、

エキサイティングで魅惑的な仕事ではない。リレーショナルデータベースのプラグインの広告をスーパーボウルの放送中に流そうとは、誰も考えないはずだ。それどころかＲＰＡはふつうルールベースの静的プログラムを使い、自己学習する適応的アルゴリズムは使わないので、ＡＩの範疇には入らないと考えるコンピューターサイエンティストさえいる。

とはいえ、こうした凡庸なロボットたちはコスト削減を実現するテクノロジーの象徴的存在であり、企業はこれに大金を投入するのをいとわない。推定によれば、ＲＰＡはＡＩ業界で最も急成長している分野の１つであり、２０２５年には60億ドルの市場になることが見込まれている。ＲＰＡを提供する企業のウェブサイトは、製品を使った大企業の華々しい「サクセスストーリー」であふれている。

「スプリントはわずか半年で50の業務プロセスを自動化」

「第一生命保険は年間13万２０００時間を削減」

「大手信用調査会社がＲＰＡで生産性を６００パーセント改善」

これらの事例は、人員削減や解雇に触れぬよう、慎重に言葉を選んで記されている（「財務部で65人が職を失う」ではなく「13万２０００時間を削減」という言い方をしている点に気づいてほしい)。しかしＲＰＡ業界に注目している人(もっとも、そんな人は多くはない。というのは、これはいくら強調しても足りないのだが、とにかく信じがたいほどつまらないのだ)は、失業はほぼ確実にこの方程式の一部をなすものだと言う。

フォレスター・リサーチのアナリスト、クレイグ・ル・クレアがＲＰＡについて耳にするようになったのは、２０１５年だった。[7] 企業がテクノロジーに手厚く投資していることは知っていたが、フォーチュン５００に名を連ねる大企業の役員たちと面談し始めると、それまで誰も聞いたことのないような会社の作る人員削減ロボットに大企業がどれほど大金を投入しているかを知って驚愕した。

「この手の自動化のために、企業は２０００万ドル払っていたんです」と彼が最近になって教えてくれた。「しかし、近所の人や街を歩いている人をつかまえて『ＲＰＡって何だかご存じですか?』と訊いたら、答えはノーでしょう。ＲＰＡとは何なのか、まるで知られていないんです」

ル・クレアは、ＲＰＡ企業がとりたててすごいことをやっているわけではないことに気づいた。多くの場合、「バックオフィスで一般社員がやっていたことを代行するための作業手順を作成しているだけ」なのだ。それでも役員たちはそんなボットを重用した。既存のソフトウェアプログラムにつなげば、何年もの時間や何十億ドルという費用をかけずに、技術インフラ全体を作り直すこともなく、仕事の自動化を可能にしてくれるからだ。

「カンファレンスに行って会場の片隅でCFOたちと話し、『これで実際、何をやっているんですか？』と訊けば、返ってくる答えは人員削減です。年間費用が1万ドルのボットを1つ作れば、2人から4人の人員が削減できますからね」とル・クレアは言った。

ル・クレアは、役員たちが明かしているよりも、じつははるかに多くのバックオフィス人員がRPAのせいで解雇に直面しているのではないか、その数は数百万人規模かもしれない、と推測している。これらのボットは労働者から職を奪うのではなく仕事を改善するのだとよく言われるが、彼はそんな言い分を信じない。仕事が自動化されたらその職に就いていた人員を別の部署に異動させ、それから数週間か数カ月ほど待ったうえでひそかに解雇するのだと、企業役員が堂々と口にするのを彼は聞いたことがある。彼は仲間と協力して計算し、2030年までにRPAなどの自動化技術によってアメリカで2000万人以上が職を失うおそれがあると推定した。

凡庸なボットは、人員削減、給付金の不支給、保険金請求の却下など、明らかなリスクを労働者にもたらす。それだけでなく、マクロ経済レベルでも危険な存在だ。といっても、それはボットがあまりに強力だからではなく、ある意味で十分に強力でないからだ。

過去数世紀にテクノロジーによる大規模な変革が起きても大量失業が生じなかった理由

の1つは、新しい革新的なテクノロジーが一部の仕事を奪っても、同じ経済の別の部分で生産性を向上させたりさらなる労働需要を創出したりしていたからだ。輸送コンテナのせいで港湾労働者が失業しても、貨物を世界各地へ輸送するのにかかる費用が大幅に下がったおかげで国際貿易が活発になり、あらゆる消費財の価格が下がった。そして価格の低下によって消費者の購買意欲が刺激され、商品を製造する企業で雇用が創出された。

ところが近年は、自動化の導入が効率の大幅な改善につながっていない。

MITのダロン・アセモグルとボストン大学のパスカル・レストレポは2019年の論文において、労働者の代替となる程度にはすぐれているが新たな雇用を創出するほどにはすぐれていない機械を指す「半端なテクノロジー」という用語を生み出した。[8] 半端な自動化こそ、私たちが真に恐れるべきものだという。なぜなら雇用主が人間を機械で置き換えることを可能にする一方で、別の場所で新たな雇用を創出できるほどの大幅な生産性向上をもたらすことがないからだ。

「雇用や賃金を脅かすのは『めざましい』自動化テクノロジーではなく、わずかばかりの生産性向上をもたらす『半端なテクノロジー』なのだ」とアセモグルとレストレポは記している。

半端な自動化の一例として、スーパーのセルフレジ機が挙げられる。買い物客なら誰もが認めるとおり、この機械はきわめて半端だ。しょっちゅう故障するし、商品の読み取りや計量でもしばしば間違える。レジ係がひっきりなしに呼びつけられ、手動操作に駆り出される。この機械は店の生産性を10倍に上げるわけではなく、客の購買量を劇的に増やすわけでもない。ただ作業を従業員から客に移すだけで、その結果として店のオーナーがシフトに入れる人員をほんの少し減らせるだけだ。

自動化されたコールセンターも「半端な自動化」の例だ。カスタマーサービス係を自動システムに置き換えたところで、企業の売り上げが大幅に増えることはなく、製品の品質が著しく改善されることもない。ただ「原価中心点（コストセンター）」を縮小させて、同じ量の仕事を処理する人員をわずかに削減し、問題解決の負担を顧客に押しつけているにすぎない。

近年、自動化やロボット工学が進展しているにもかかわらず、アメリカの経済生産性がさほど向上していない理由は、「半端な自動化」の急増で説明できるかもしれない。そうだとすると、矛盾して聞こえるかもしれないが、人間がロボットに仕事を奪われることをなによりも案じる人は、ロボットの性能を抑えるのではなくもっと向上させることを望むべきだろう。

人が基本的なサービスを頼るシステムやプログラムに関して、あるいは労働市場全般に関して、凡庸なボットがもたらし得る問題を踏まえると、私たちはそろそろＡＩの危険性について心に描くイメージをアップデートすべきだ。妙な話だが、差し当たって殺人アンドロイドや特攻ドローンに対して不安を抱くのをやめて、企業の給与支払いの処理効率を

20パーセントだけ上げたり給付金受給資格の判定にあたるケースワーカーの人数を減らしたりするだけの、身近で地味なアプリやサービスについて心配すべきだ。

ユーバンクやル・クレアといった専門家と同じく、私も凡庸なボットを過小評価すれば自らを危険にさらすことになると思っている。

第2部 ルール

The Rules

ルール1

意外性、社会性、稀少性をもつ

どれほどすぐれた機械にも、
行動力をもたせることはできない。
どれほど陽気な蒸気ローラーも、
自分で花を植えることはできない。

——ウォルター・リップマン

1821年6月23日、21歳のイングランド人ウィリアム・ラベットが、新たな出発を求めてロンドンにたどり着いた。ポケットには30シリングが入っていた[1]。

ラベットは、イングランド南西端に位置するニューリンという漁村で、労働者階級の子どもとして育った。10代で地元の縄製造業者の徒弟となった彼は、大人になったら縄作りの職人になろうと思っていた。縄作りはこの世で最も名誉のある職業というわけではないが、安定している。ラベットはこの仕事に満足感とやりがいを見出していた。

ところがあいにく産業革命が本格化しており、新たな技術で生み出された「金属鎖」が縄製造業に大打撃を与えていた。金属鎖は都会の工場に設置された蒸気動力の大型機械で大量生産でき、丈夫で耐久性に富む。こちらのほうが買い手に好まれ、縄の売り上げは激減した。縄作りで安定した職に就けなかったラベットは、自分が10代の年月を費やして磨いた技が時代遅れになろうとしているのに気づいた。

彼だけではなかった。イングランドのいたるところで、労働者は自分が無価値な存在となってしまったことを受け入れようとしていた。産業用機械が、鍛冶屋や農夫をはじめとする肉体労働者を打ちのめし、何万人という職人から仕事を奪った。この変動に真っ向から立ち向かった労働者もいた。たとえばマンチェスターで徒党を組んで織機を打ち壊した織物工たちは「ラッダイト」と呼ばれた。一方、新たな職を探し始めた者もいて、ラベットもその1人だった。

新しい職に就くのは容易でなく、ラベットも最初は何度もつまずいた。漁船に乗り組んだときには、すぐさま自分が船酔いするたちであることを知った。大工のもとで働いたこともあったが、すぐに辞めざるを得なかった。若い徒弟たちから、この仕事には向いていていないと文句を言われたのだ。

打ちひしがれた彼は、荷物をまとめて家族に別れを告げ、ロンドンへ向かった。そこで新たな未来が待っていることを期待していた。

未来に追い越される瞬間

読者のなかにも似たような経験をもつ人がいるのではないだろうか。未来に追い越され、自分が生涯をかけて身につけてきた技が不意に価値を失ったような気がする瞬間だ。

私にこの瞬間が訪れたのは、2012年だった。20代半ばの私は、『ニューヨーク・タイムズ』でウォール街や株式市場に関する記事を書いていた。そのころ新聞業界は急激に斜陽化していて、私のような仕事はいつ消滅しても不思議ではなかった。友人のジャーナリストが次々に解雇され、印刷媒体を扱っていた会社の多くが廃業やオンライン専業に踏みきり、次に倒れるのはどのドミノかという噂話が絶えなかった。

そんなときに私は、あるスタートアップに関する記事を読んだ。「自然言語生成」（NLG）と呼ばれるプロセスを利用した記事作成用AIツールを開発している会社だった。このプログラムは構造化されたデータ（たとえば企業の収益報告書に記載されたデータや不動産物件情報データベース）を取り込んで、数ミリ秒で完全なニュース記事に仕上げることができるという。人間の記者や編集者を必要としないのだ。

　ロボットジャーナリストはピューリッツァー賞を獲ったりはしなかったが、締め切りは必ず守り、驚異的な生産性を誇った。NLGアプリ「ワーズスミス」のメーカーによれば、このアプリは1年間で3億本のニュース原稿を書いたそうだ。[2] 世界中のジャーナリスト全員が束になっても、こんなにたくさんは書けない。ビッグ・テン・ネットワークなどのスポーツ系ウェブサイトでは、ナラティブ・サイエンス社の開発したアプリを使い、成績データや選手情報から試合の概要記事を自動生成している。[3] AP通信、フォーブス、ロイターといった大手メディア企業も、AI記者を編集室に導入していた。

　AI記事作成アプリのことを初めて聞いたとき、私はそんなものが人間のジャーナリストを脅威にさらすという見方を一蹴した。ジャーナリズムの世界でも、情報収集とか数値の計算、ジャーナリストが書きたがらない定型的な記事の執筆など、退屈でルーチン的な作業をコンピューターにやらせることはあるかもしれないが、もっとクリエイティブで人間らしい仕事はコンピューターには無理だと思ったのだ。記事のアイデアを出したり、情報提供を渋る取材先から話を引き出したり、複雑な事柄をわかりやすく説明したりするのは無理だろう。

　しかしさらに考えるうちに、自分が間違っているのではないかという気がしてきた。自分も企業の収益報告や最新の経済データなど、定型的な原稿を山ほど書いてきたではないか。クリエイティブで複雑な仕事もなかにはあったが、情報をなるべく迅速かつ正確に伝達することだけが求められる仕事もあった。

この種のアプリについてさらに考え、生産性を自分と比べてみたら、自信が揺らぎ始めた。いずれロボットに仕事を奪われることも**あり得る**と思った。

機械が未来なのだとしたら、私たちはもっと機械のようにならなくてはいけない、という考え方が長らく支配的だった。

私が大学を卒業した２００９年には、専門家たちがこぞって、若者はコンピューターサイエンスや工学など、就職市場で有利な「ハードスキル」を身につけろとアドバイスしていたものだ。ＳＴＥＭ（サイエンス、テクノロジー、工学、数学）科目こそが未来だとか、哲学や美術史みたいなすぐに時代遅れになる科目を勉強していたら貧乏で無価値な人生にまっしぐらだと聞かされた。

人文科学をこんなふうに愚弄する姿勢は、財政界のリーダーたちによって強化された。彼らは21世紀の経済を支えるのに適したスキルをもつ大学卒業者がアメリカには不足していることを憂慮していたのだ。ベンチャー投資家でネットスケープ共同創業者のマーク・アンドリーセンは、２０１２年に開かれたテクノロジーカンファレンスで、英文学専攻学生のほとんどには「靴屋で働く末路」が待っていると言った[4]。ベンチャー投資家でサン・

マイクロシステムズ共同創業者のビノッド・コースラは、2016年のブログで「現在の教養課程で指導される内容のうち、未来に意味をもつものはほとんどない」と断言した[5]。当時のオバマ大統領までもが、人文科学は価値を失いつつあるとして、2014年の演説で「間違いありません。美術史の学位をもっているよりも、熟練を要する製造業や商業に携わるほうがはるかにたくさん稼げます」と語っている[6]。

STEM至上主義者がハードスキルの価値を説いていたのと同じころ、「ライフハック」というコンセプトがはやりだした。このトレンドはとりわけシリコンバレーのエンジニアのあいだで人気があり、その背後には、動作の遅いコンピューターをスピードアップするのと同じように、人の心や体も最適化し改良できるという考え方が存在した。ライフコーチやソーシャルメディアのカリスマ的存在が個人の生産性について御託を並べ、日々の暮らしから無駄や非効率をことごとく排除せよと人々に助言した。「ライフハッカー」や「ミディアム」などのウェブサイトは生産性の高い生活を実現するためのアドバイスであふれ(手帳術を駆使してスケジュールを管理せよとか、完全栄養代替飲料のソイレントを飲めなど)、仕事の効率を上げるための最新メソッドに誰もが夢中になった。これらのアドバイスの根底には、いつも同じ無言のメッセージが潜んでいた。「人間らしさはバグであり、役立つ機能ではない」というのだ。

このメッセージは長らく基本的に正しかった。少なくとも、合理性や経済性の観点から見れば正しかった。19世紀から20世紀にかけて産業経済が求めたのは、反復的な作業を一定の高いレベルで遂行できる人材であり、工場の現場では個性など邪魔でしかなかった（ヘンリー・フォードは自社の従業員についてこう嘆いたことで知られている。「私が一対の手を求めると、その手には決まって脳味噌がくっついてくるのはなぜなのか」。この言葉は旧来型経済の有力者の多くが抱いていた気分を巧みに伝えている）。ホワイトカラーの知識労働者は体ではなく頭を使う仕事を担ったが、彼らもしばしば自らの人間らしさを抑えつけて最高の成果を目指すことで利益を得ていた。

しかし私がＡＩや自動化についてさらに記事を書き続けるうちに、現代経済に関する専門家のメッセージは、基本的にそれまでとは正反対になっていった。

高度に自動化した経済では、労働者を機械とは「異質」の存在にすることができるスキルや能力が最も高い価値をもつとされた。バグの除去や最適化を必要とする生身のハードウェアとして自分を扱うのではなく、機械には真似のできない人間ならではのスキルを身につけるべきとされたのだ。

この考え方は理解できなくもなかった。私の行なったほかのリサーチとも合致していた。いつの時代も、テクノロジーによる急激な変化の時代に成功するのは必ずしもハイテクなエンジニアやプログラマーではないと、私のリサーチは示していた。機械には真似のできない、ローテクで人間的な感性を必要とする仕事に携わる人たちが、しばしば成功していたのだ。

たとえば18世紀から19世紀の産業革命では工場労働者が急増したが、教師、聖職者、土木技師など、都市で新たに生じた人口密度の高い集団のために働く専門職の需要も急激に高まった。20世紀半ばに起きた製造業の自動化ブームでは、物理的な製品の製造が安価かつ効率的になるにつれて、教育や医療といった、仕事をまかせられるロボットや高度な機械がまだあまり存在しない分野に経済活動の比重が移っていった。そして過去数十年間、テクノロジー企業が経済を支配するようになった一方で、アメリカで急成長を遂げた職業のなかには、マッサージセラピスト、言語療法士、ペットの世話人など、どう見てもアナログな仕事が含まれている。

こうしたトレンドを探っていくと、将来の生存戦略を立てるには、人間と比べて今日の機械の弱い点を理解することから始める必要のあることがわかってきた。そこで私は、ある質問を専門家たちにぶつけ始めた。

「現時点で最も高度なＡＩよりも人間のほうがはるかにうまくできることは何か？」

意外性

最初にわかったのは、明確に定義された静的なルールと一貫したインプットをもつ安定した環境で働く限り、ＡＩは全体として人間よりよく働くということだった。反対に、想定外の事態に対処したり、ギャップを埋めたり、明確に定義されたルールや完全な情報の欠如した環境で働く場合には、人間のほうが格段にうまくやれる。

それゆえ、たとえばコンピューターはチェスのグランドマスターには勝てるが、幼稚園で働こうものならとんでもなくだめな先生にしかなれないのだ。SiriやAlexaといったバーチャルアシスタントが、具体的なデータセットを使って答えられる定型的で単純な質問（「来週の火曜日、ニューヨークの天気は？」）にはうまく応答できるのに、不確実な状況への対処や不完全なデータからの推測を要する質問（「グラマシー公園の近くで本当においしいハンバーガーを食べられるレストランは？」）をぶつけられるとフリーズしてしまうのもそのためだ。

遭遇した想定外の事態がささいなものでも、ＡＩがひどくつまずくこともある。２０１８年にＡＩ研究者のグループが深層ニューラルネットワーク（Googleフォトのようなアプリが画像内の物体や顔を認識するのを助けるシステムのたぐい）に関する実験を行ない、リビングルームの写真に写った対象を認識させるトレーニングを実施した。[7] 数百万点の例を見せた結果、ＡＩは室内の椅子や人、本といった対象を正しく認識できるようになった。ここで研究チームはリビングルームに想定外の対象として象の小さな画像を持ち込んで、再びテストした。すると、結果は散々だった。椅子をカウチと認識し、象を椅子と誤認した。さらに、前のテストでは正しく認識できた対象まで誤認した。異常なものが1つ加わったことによって、AIは単にフリーズしただけではない。どうやら神経衰弱をきたしたらしく、前に学習したこともすべて忘れてしまったようだった。

こんなことは人間には起こらない。思いがけないものを目にした場合、人間ならそれを見直して視覚情報を確認して再処理し、それが何なのかとさまざまな想定をしてみるものだ。ところが今日のAIにはそれができない。世界とはどんなものであるか、そして人間は世界とどのようにかかわるかについての全体的なモデル(「常識」と呼ばれるようなもの)をもたないので、ほとんどのAIは高品質の例を大量に利用するというやり方に頼っている。

ラベル付けされた大量のデータを必要としないAIもある。たとえばアルゴリズムに命じて、大量の雑然としたデータセットの中を探索してパターンを見つけ出させる「教師なし学習」がそうだ。また、ある種のAIは新しい状況への対処がうまくなってきた。それでもなお、これらのAIは未知の状況をやすやすと切り抜けるレベルにはとうてい達していない。つまり、想定外の事柄に対処するのが得意な人間、危機に際して冷静で、厄介な問題や新規のシナリオに対処するのを好む人間、明確な計画がなくても前進できる人間、そんな人間のほうが依然として優位に立っているのだ。

絶えず変化の起きる仕事に就いている人にとって、これは希望のもてる話だ。作業療法士、刑事、救急治療室の看護師などは、仕事の内容が日々異なり、反復的な作業はほとんどない。

一方、データ入力係、融資審査担当者、税務監査官といったきわめて定型的で反復的な仕事に就いている人にとっては、気がかりな話だ。あるＡＩ専門家によれば、自分の仕事の取扱説明書を書いてほかの人に渡した場合に、相手が１カ月以内でその仕事に自分と同じくらい熟達できるなら、その仕事はおそらく機械でも置き換えることができるという。

社会性

次に私が知ったのは、ＡＩは私たちの物質的な欲求の多くをじつにうまく満たしてくれるが、社会的な欲求については人間のほうがはるかにうまく満たせるということだ。

世の中には、結果だけに意味がある領域が存在する。たとえば地下鉄が安全かつ効率的に運行し、私たちを目的地に連れて行ってくれる限り、車両を動かしているのが人間であろうとコンピューターであろうとどちらでもかまわない。荷物がきれいな状態で予定どおりに届く限り、倉庫でそれを扱うのがロボットであっても不満を抱く人はほとんどいない。だが、貨幣を渡して品物やサービスを手に入れるという冷たい交換には収まらない事柄も、世の中にはたくさんある。

人間は社会的な存在だ。私たちはほかの人と互いにつながっていると感じたり、周囲の人たちと意味のあるやりとりを交わしたりするのを好む。社会的な立場をひどく気にかけ、他人からどう思われるかが気になってしかたがない。日々無数の選択をし、なかには食べるものや着るものをめぐる一見ありふれた選択もあるが、それらはいずれもじつは私たちのアイデンティティーや価値観、人との結びつきを求める思いと深くつながっている。

つまり現実的な話として、私たちの社会的な欲求を利用する仕事、たとえばバーテンダー、ヘアスタイリスト、フライトアテンダント、メンタルヘルス従事者などは自動化しにくいということになる。そして社会的および感情的な経験を生み出すのが得意な人は、もっぱら物事を効率的に処理することを得意とする人よりも、将来には有利な立場に立てるだろう。

すでに看護や宗教職、教育といった職業では、「心の知能指数」の価値が明らかとなっている。しかしＡＩや自動化がさらに多くの分野で普及していくと、人々に連帯感や社会的な充実感を与える能力も、これらの分野で高く評価されるスキルとなるだろう。優秀な弁護士はただ報告書の作成やリサーチをこなすだけでなく、依頼人の信頼を獲得して問題解決を助けるという、法律セラピストと呼ぶべき存在になるに違いない。医師は最新の治療法にどれほど精通しているかよりも、患者とのかかわり方によって評判を高めていく。プログラミングの分野では、コードを紡ぎ出す孤高の天才ではなく、チームを引っ張り、戦略的に物事を考え、複雑な技術的コンセプトをプログラマーでない相手に説明できる人こそが、優秀なプログラマーと見なされるようになるだろう。

もっとも、ＡＩと自動化の時代には技術的スキルや基礎的な職務遂行能力がもはや意味をもたないというわけではない。私たちの仕事の基本的で反復的な部分の多くを機械が人間と同等かそれ以上にうまくこなせる場合、私たちに残されているのは社会的な部分や感情にかかわる部分になるということだ。

すでに多くの業界で、この変化が起きている。カヤック、エクスペディア、オービッツが勢力を広げるなかで生き延びてきた旅行代理業者は、格安な宿泊料金よりも、大自然のアドベンチャー、料理教室、本物志向のホームステイといったユニークな体験を提供することにもっぱら注力している。広告業界では、今や広告枠を買い付けるための日常業務はほとんどがプログラム的アルゴリズムで処理できるが、それ以外の仕事の多くはクリエイティブな顧客サービスやインフルエンサーマーケティングなど、人の欲望を理解する力やほかの人と緊密に働く能力が成功のカギとなる領域に属する。

全体として、人に何かを「感じさせる」仕事は、単に何かを「作る」とか「する」といった仕事よりもはるかに安泰だと言える。

稀少性

それから私が知ったのは、スケールの大きな仕事、たとえば大きなデータセットや多数のユーザー、世界規模のシステムなどが関与する仕事については、ＡＩのほうが人間よりもずっと得意だということだ。何かを数百万個作るとか、数十万個のデータ点からパターンを見出すといった作業なら、すでに機械がやっているか、あるいは近い将来にそうなるだろう。

その一方で、ありきたりでないスキルの組み合わせや、波乱に富んだ状況、または尋常でない才能がかかわる仕事となると、ＡＩより人間のほうがはるかにうまくこなせる。

私はこのタイプの仕事を「稀少」と呼ぶ。ただしそれはこのような仕事自体が稀少だからではない。この種の仕事を自動化するのは実用的でないか、あるいは社会的に許容されないだろう。なぜならコンスタントに予想可能な形で必要とされることがないからだ。

たいていのＡＩは1種類の問題を解決するように設計されていて、それ以外のことをやらせようとしても失敗に終わる。世界トップレベルで動画の「おすすめ」の決め方を学習できるＡＩに、財務報告書の監査や迷惑メールのフィルタリングをさせようとしても、ふつうは無理だ。これまでのところＡＩは、ある問題を解決したときに獲得した情報を別の目的に転用する「転移学習」が苦手なのだ（例外として、Googleのディープマインドが作成したアルファゼロのような深層学習アルゴリズムは、最近ではチェスや碁を何百万回も自分でプレイすることによって、ほんの数時間のうちに世界トップレベルでプレイする方法を学習している。とはいえアルファゼロが通用するのはゲームの世界だけで、たとえばシンクの詰まりを直すことはできない）。

対照的に、人は物事を結びつけるのが得意だ。生活の中のある領域で問題を見つけたら、まったく別の機会に学習した情報を使ってその問題を解決できる。中学生のときに先生からもらったアドバイスを、何十年も経ってから遭遇した状況にあてはめたりする。アイデアを引き合わせ、ジャンルを組み合わせ、ランダムで雑多な情報を頭の中に大量に蓄え、必要に応じて瞬時にそれらを混ぜ合わせる。

「ブレイン・ピッキングズ」というブログを開設しているマリア・ポポワは、この性質を「組み合わせの創造力」と呼ぶ。[8] 彼女によれば、歴史上の偉大なブレークスルーの多くは高度な専門性から生まれたのではなく、複数の異なる分野から得られた洞察を組み合わせることによって生まれたという。バイオリンをたしなんでいたことが物理学の問題に取り組む際に脳のさまざまな部分を結びつける助けになったというアルベルト・アインシュタインや、自分が緻密で的確な文章を書けるのは蝶のコレクションを趣味としているおかげだと言っていたロシア出身の作家ウラジーミル・ナボコフを、ポポワは引き合いに出す。

今のところ、組み合わせの創造力は人間だけがもつスキルである。それならば、数学の学位をもつ動物学者や民俗音楽に精通したグラフィックデザイナーのように、一風変わった組み合わせのスキルを備える人は、ＡＩより優位に立てるはずだ。

失敗が許されない、まれな状況や波乱に富んだ状況を伴う仕事もまた、自動化されにくい稀少な仕事となるだろう。

たいていのＡＩはインタラクティブに学習する。つまり同じタスクを何度も繰り返し、そのつど少しずつ正確さを高めていく。しかし現実世界の私たちには、１０００回もテストを繰り返す時間などふつうは与えられない。そして私たちは、機械にまかせるには重大すぎるタスクが存在するということを直感的に理解している。９１１番に緊急通報をするときには、自動応答サービスではなく人に応答してほしいと思う。婚約中のカップルが結婚式をあらゆる点で滞りなく進行させたいならば、自動サービスを提供する会社ではなく生身のウェディングプランナーに依頼するだろう。出産時には、何か問題が起きた場合にバーチャル産科医でも99パーセントの確率できちんと対応できるとしても、やはり人間の医師に立ち会ってもらいたい。

稀少な仕事には、人間の説明責任や感情のカタルシスを要するものも含まれる。医療保険会社から不当に保険金の請求を却下されたときや、Airbnbの宿泊客に自宅を破損されたとき、私たちはウェブポータルでフォームに記入するのでは気が済まない。生身の人間に苦情を訴えて、トラブルを解決してほしいと思うはずだ。

自動化に対してほぼ確実に安泰である稀少な仕事として最後に挙げるのは、並外れた才能を要する仕事である。たとえば世界クラスのアスリート、受賞歴のあるシェフ、際立った演技力や歌唱力をもつ人などがこのカテゴリーにあてはまる。基本的に、人がお金を払ってでも見たいと思えるような仕事ができる人はおそらく安泰だ。

これらの仕事が自動化される可能性が低い理由は、テクノロジーの限界よりも私たち自身がもつ欲求と関係がある。ＡＩがどれほど高度化しても、人はロールモデルを求め、人間の偉大さからインスピレーションを受けたいと願う。だからこそ私たちは、オリンピックの競泳選手を応援する。スピードでは高速のモーターボートにはるかに及ばないことなど関係ない。ストリーミングを利用すれば自宅で音楽を無料で楽しめるにもかかわらず、わざわざお金を払って好きなバンドのライブに行くのもそのためだ。私たちは人間の偉大さを目の当たりにするのが好きで、機械がこれを代替することはまだ受け入れられない。

こんなことを考えていた私は、自分が初めて自動化への恐れを抱いて以来、期せずして自分の仕事の意外性と社会性と稀少性を高めていたことに気づいた。

定型的な企業収益の記事を書くのをやめて、もっと創造力が必要で個性を発揮できる記事を書くようになった。単に情報を伝達するのではなく、人に何かを感じさせるような記事だ。ウォール街の動向を伝える仕事から離れてテクノロジーについて書き始め、インターネット上の主流から外れたコミュニティーについて掘り下げる作業に何カ月も費やしたおかげで、キャリアを積み重ねるのに使える比較的稀少な知識を得ることができた。さらにジャーナリストとして使うツールの幅を広げ始め、テレビ番組の制作や共同ホストに加わったりポッドキャストを制作したりすることで、プロジェクトに参加する際にさまざまなスキルを組み合わせて使えるようになった。

こうした変化を経験するうちに、自身の意外性、社会性、稀少性を高めることで成功した人たちの例をさまざまなところで目にするようになった。

私が仕事を依頼している会計士もその一例だ。ラス・ガロファロという男性で、毎年4月に税務処理をしてもらっている。彼は税務申告書作成者としては一風変わっている。元スタンドアップコメディアンで、今でも笑いのセンスを仕事に持ち込んでくる（彼の会社はBrass Taxes（ブラス・タックシズ）という名前だと言えば、その感じがわかってもらえるだろうか（訳注：税金を意味するtaxと「核心」を意味するbrass tacksをかけている））。

税務処理ならターボタックスなどのオンラインアプリで片づけられる時代に税理士として生き残るには、税務に関する専門知識以外にも売りにできる何かが必要だ。そのことを理解していたラスは、愉快で人柄のすぐれた会計士を何人も雇い、全員にアドリブ芸の講座を受けさせてその費用を負担した。さらに、俳優やアーティストなど、クリエイティブな依頼人を探し始めた。この種の人たちはたいてい税務申告が複雑なので、申告プロセスをガイドしてくれる人間がいれば助かるはずだ。

ふつうに考えれば、私はラスの将来を案じるべきだ。というのは、税務申告書の作成は非常に自動化されやすい仕事だからだ（実際、最近のオックスフォード大学による研究では、自動化される確率が99パーセントとなっている）。しかし、私はラスのことを心配していない。

彼は自身のサービスをルーチンな取引から、私を含めて依頼人が嬉々として料金を支払うような、意外性、社会性、稀少性に満ちた経験へと変えるやり方を編み出しているからだ。ロボットに仕事が奪われそうだとわかっていて意図的にこうしたのか、と私はラスに尋ねたことがある。すると彼はそのとおりだと饒舌に答えた。

「税務申告書作成者の多くはただ依頼人が仕事を頼み、あとは口出しせず、400ドルの小切手を送ってくれればいいと思っている。市場の効率としてはそれが理想的だが、ターボタックスに仕事を奪われてしまったのはそんな考え方のせいなんだ。そこでわれわれは差別化するための付加価値として、依頼人との対話を欠かさない」

明白に自動化の脅威にさらされていたわけではないが、意外性と社会性と稀少性をもって仕事に取り組んだおかげで、別の種類の嵐を乗り越えられた会社はほかにもあった。

たとえばマーカス・ブックスがそうだ。私の故郷オークランドにある独立系の書店で、経営者は黒人だ。黒人経営の書店としてアメリカで最も古く、トニ・モリスンやマヤ・アンジェロウといった卓越した黒人作家の作品を60年間にわたってオークランド市民に紹介してきたすばらしい店だ。

しかしマーカス・ブックスの最もすばらしい点はおそらく、今も営業を続けているということだろう。ベイエリアで生き残っている独立系書店はごくわずかだし、黒人経営でAmazonやインターネットからの猛攻撃を生き延びることのできた書店などほぼ皆無だ。

では、この店はどうやって生き延びてきたのか。他店よりも安値を提供しているとか、洗練を極めたオンラインシステムを構築したとかいうわけではない。生き延びられたのは、マーカス・ブックスがただの書店ではないからだ。コミュニティーの中核として、実際に自分で読んだ本を客に勧める親切な店員がたくさんいて、黒人の客が警備員に貼り付かれたりボディーチェックをされたりしないとわかって安心して過ごせる場所なのだ。そしてなによりも、共同経営者であるブランチ・リチャードソンの言葉を借りれば、ここには「いい雰囲気」がある。

2020年の初めごろ、COVID-19のパンデミックがベイエリアを襲ったとき、マーカス・ブックスは一時的に閉店を余儀なくされた。ほかの多くの企業と同様、先行きが見通せなくなった。しかしコミュニティーが味方につき、クラウドファンディングのゴーファンドミーにページを開設して、店を守るための資金を集め始めた。

その年の5月、ミネアポリスで武器を持っていない黒人男性のジョージ・フロイドが警官に殺害されるという事件が起きた。アメリカ各地の街頭で抗議デモが行なわれた一方で、マーカス・ブックスのミッションを支援したいという全国の人たちからの注文がマーカス・ブックスに殺到しだした。売り上げはパンデミック前の5倍となり、ゴーファンドミーへの寄付は26万ドルに達した。店を存続させるには十分すぎる金額だった。

マーカス・ブックスはハイテクな店ではない（それどころか、最近までウェブサイトで注文することすらできなかった)。大量の安価な本を求めるだけの人は、Amazonで注文するだろう。しかしマーカス・ブックスには、ウェブサイトよりもはるかに貴重なものがあった。トラブルに見舞われたときに支えてくれる、本物のコミュニティーの絆があったのだ。世の中の状況が変わってもマーカス・ブックスが60年間営業を続けてこられた一因は、この店が意外性と社会性と稀少性に満ちたやり方で本を売り続けていることだ。常に人間らしさを中心に据えていて、その結果として唯一無二の存在となったのだ。

ウィリアム・ラベットも、意外性と社会性と稀少性を磨いたおかげで生き延びることができた。

1821年、ロンドンにたどり着いたラベットは、木工所にかけあって雇ってもらった。そこの経営者は彼に家具製作の技術を教えてやった。この仕事は縄作りとは違って、大量生産には向いていなかった。

ラベットは安定した職を得て、今度はもっと知的な事柄に関心を抱き始めた。かつて精肉市場だった場所で定期的に集会を開いて、何時間も政治や宗教や古典文学について議論する者たちのグループに加わったのだ。

「私の心は覚醒し、新たな知的存在となったようだった」と彼は自伝に記している。「私の中にそれまでなかった感情、希望、向上心が生まれ、私は寸暇を惜しんで有用な知識を得ようと励んだ」
まもなくラベットは労働組合の活動にも加わった。これは対人関係的な要素の強い活動であり、イギリスの労働者が権利と保護の拡大を求めて闘うなかで、彼はその活動を支える存在として大いに頼りにされた。労働者階級の改革派であるチャーティストを率い、教育にも関与し、機械的なスキルや職業技能よりも寛容や愛情や共感といった人間的な特質の指導を重視する学校教育のモデルを唱道した。

教育とは「人間のあらゆる能力を思慮深く育てて訓練すべきであり、一般に思われているように『読み、書き、計算』だけを教えればいいというものではない。大学でギリシャ語やラテン語や文芸の造詣を深めることでもない」とラベットは記している[9]。

ラベットは金持ちにならなかったし、有名にもならなかった。彼の名を冠した図書館や大学の校舎は、どこを探しても見つからないだろう。だが、彼はたぐいまれなめざましい偉業を成し遂げた。テクノロジーによるとてつもない変革の時代に、彼は人間性を仕事の中心に据えることで、時代に先手を打ち続けるやり方を見出した。知性、人との関係、そして真の勇気のおかげで自らが機械よりもはるかに高い価値をもつことを理解し、それにふさわしくふるまった。

その結果、彼は有意義で生きがいに満ちた人生を築くことができた。将来の危険に対する備えができたのだ。そして私たちの知る限り、彼は二度と縄作りに手を出さなかった。

ルール2
機械まかせに抗う

人類の主たる仕事は、
人間であるという仕事を
立派に務めることであり、
機械や組織や制度にその従属物として
仕えることではない[1]。

——カート・ヴォネガット

話を進める前に、いくつか個人的なことを質問してもいいだろうか。
最近、日々の暮らしの中で……容易に予想されてしまいそうな部分はないか？

たいてい友人と同じテレビ番組を見て、同じ本を読んで、同じポッドキャストを聴いていないか?

他人に年齢、性別、民族、郵便番号を知られただけで、ファッション、食べ物、政治に関する志向を正確に言い当てられてしまうことはあり得ないか?

ふと気づくと数週間、あるいは数カ月も、意識的に考えることなく漫然と過ごしていたということはないか? つまり、わかりきったことを言ったり、同じ活動を繰り返したり、変化や発見のないまま、とりあえず形だけ行動したりといった経験をしていないか?

何年も前に撮った写真やビデオを見直すと、そこに映っている自分は今よりも痩せて若々しい顔をしているだけでなく、もっと「意外性」があって、もっと自分なりに物事を考え、さまざまなアイデアともっと真剣に向き合い、主流から遠く離れる勇気をもっていたと感じることはないか?

私から先に答えよう。私はすべての問いにあてはまる。昔のことが美化されやすいせいばかりではなく、機械のせいだと思う。

本書ではこれまでのところ、産業ロボット、機械学習アルゴリズム、バックオフィス用のAIソフトウェアなど、主に私たちの外側で起きている自動化を見てきた。しかし私たちの多くの内側で起きている「内的」自動化のほうが、じつははるかに危険性が高い。このタイプの自動化は脳に入り込み、精神生活に影響する。そして、どんなふうに物事を考え、何を望み、誰を信頼するかを変えてしまう。これが暴走すると、仕事が奪われるだけでは済まない。

この数年間、『ニューヨーク・タイムズ』でソーシャルメディアに関する記事を書いている私は、このタイプの自動化の例をたくさん見てきた。Qアノンなどのオンラインで展開する過激な運動の支持者に取材し、バランスのとれたまともな人がソーシャルメディアのアルゴリズムとインセンティブに踊らされて錯乱した陰謀論者になるのを見てきた。私はポッドキャスト番組『ラビットホール』でレポーターを務め、YouTubeやFacebookなどがAIを利用してユーザーを引きつけ、心をとらえて離さない可能性の最も高いコンテンツでいっぱいの個別化された空間へとユーザーを誘う仕組みをつぶさに調べた。これらのプラットフォームはしばしば画面の外に広がる世界よりも過激で、分断され、事実にもとづかない現実の1バージョンをユーザーに示す。私はその仕組みに切り込んだ。

ソーシャルメディアの誤情報やオンラインで起きている過激化が、AIと同列に語られることは少ない。だが、これらは密接に関係している。ソーシャルメディアのプラットフォームをこんなふうに中毒的なものにしているのはAIなのだ。ユーザーにクリックや視聴やスクロールを続けさせる要因を特定することによって、ユーザーを操ることが可能になる。

私は長年にわたり、情けないくらい自分の生活を機械に委ねてきたことを認めよう。

ＡＩアシスタントを使ってスケジュールを管理し、ロボット掃除機やWi-Fi接続サーモスタットを買って自宅の掃除と温度管理に利用してきた。私の体格に最もよく合う服を選び出す精巧なアルゴリズムを使った洋服サブスクリプションサービスも利用している。仕事では、メールの定型文作成ツールを使い、Ｇメールで自動生成される応答文（「了解！」「はい、それでお願いします！」「いいえ、できません」など）を使って時間を節約している。何年間も、私はアルゴリズムの誘いにたいてい従ってきた。Amazonから提案された品物を注文し、Spotifyで自動生成されたプレイリストの曲を聴き、Netflixの勧める番組を視聴したのだ。

長いあいだ、このようなライフスタイルの自動化はいずれも害のないものと思われた。しかし私はやがて、日々の決断を機械に委ねることが幸福度や生産性の向上につながっていないと感じ始めた。それどころか、私は決まりきったルーチンやマンネリ思考に縛られた薄っぺらな人間となり、日常生活がまるでロボットのように意外性に欠けるものとなっていった。

私はこの気持ちを「機械まかせ」と呼び始めた。自分にこれが起きているのに初めて気づいたのは、今から数年前だ。

そのころ私はデジタルニュースサイトの編集をやっていて、担当セクションの月間閲覧数を目標に到達させるのも私の仕事だった。月末近くになってもクリアできていないときには、FacebookやGoogleから多数の閲覧者を呼び込もうと、いかにも拡散しそうな記事をひねり出したものだ。私はそれがかなりうまくなった。Reddit（レディット）のスレッドをまとめて手を加えただけの記事がものすごい勢いでFacebookのクリックを集め、閲覧数が何百万件にも達したことがあった。「アン・コールターのヤバいツイート」と題したわずか4文の記事も、やはり数百万件の閲覧を獲得した。

こうした月末の記事はそれなりに効果を発揮したが、私はそういうものを書くたびに、自分がジャーナリストというより火炉に石炭を投入する工場労働者になった気がした。画期的なことや創造的なことは何もしていなかった。ただ求められるがままに、アルゴリズムに材料を投げ込んでいるだけだった。そしてその過程で、私自身がある種のアルゴリズムになりかけていた。

仕事以外の場でも、機械まかせを経験した。自分が辛辣に、そして政治的に偏向した考えをもつようになってきたと感じた。ちょっとした好き嫌いの多くが硬直化して頑迷な信条に変わった。ウィットに富む他人のツイートからアイデアを得ることが増え、自分と対立する見解に対してオープンに耳を傾けるのが難しくなった。

このような気持ちがテクノロジーの利用と関係していることに気づいてからは、自分の判断を疑い始めた。Amazonで買った革のスニーカーは、本当に気に入ったから買ったのか、それとも自分のファッションセンスよりもアルゴリズムを信頼しただけなのか。Twitterのタイムラインにくだらないツイートをねじ込んできたベンチャー投資家に対して、私は本当に立腹していたのか、それとも辛辣なジョークをツイートすれば「いいね」やリツイートをしてもらえるというTwitterのアルゴリズムを知ったうえで、罵倒の応酬に加わっただけなのか。自分は本当に料理が好きなのか、それとも自分で用意した食事の写真をInstagramに上げることによって、落ち着きのあるバランスのとれた大人のように思ってもらいたいだけなのか。

自分の考えや好みのうち、真に自分のものと言えるのはどのくらいで、機械がもたらしたのはどのくらいなのだろう。私はそんなことを考えるようになった。

メールのフィルタリングから生まれた「レコメンド」

1990年、ゼロックス社のパロアルト研究所で働く2人の研究者が、メールを処理しきれないという厄介な問題の解決策を考案した。そのころメールはまだ新しいテクノロジーで、パロアルト研究所ではどうでもいいメールや不要なメールで受信ボックスがあふれていた。研究者たちは登録しているさまざまなニュースグループから送られてくるメールを読んで削除する作業に毎日何時間も費やし、本来の業務に支障が生じていた。

あるとき、若手研究員のダグ・テリーがいいことを思いついた。[2] メールを時系列で表示するのをやめて、メールソフトが重要度に従ってメールを順位付けできるようにしたらどうかと考えたのだ。また、先に読んだほかの人が気に入ったかどうかなどの情報にもとづいて、配信されるニュースが決まるようにしたらどうだろう。ダグはデイビッド・ニコルズというエンジニアを誘い、2人で「インフォメーション・タペストリー」(略して「タペストリー」)という、受信ボックスに秩序をもたらしてくれるプログラムの開発にとりかかった。

まず、個人間の通常のメールを自動的にランク付けするシステムの開発から始めた。受信したメールをスキャンし、送信者名、件名、ほかの受信者の数といった要素にもとづいて優先度のスコアをつける「アプレイザー」というアルゴリズムを作製した。たとえばテリーの上司からテリーだけに送られたメールの優先度スコアは99(最高スコア)となり、常に受信ボックスの一番上に表示される。その下には「Apple」(パロアルト研究所の最大のライバル)や「野球」(テリーの好きなスポーツ)など、重要度が中位のキーワードを含むメールが並ぶ。未知の送信者から送られて重要なキーワードを含まないメールはスコアが低くなり、受信ボックスの最下部付近に置かれる。

次に、ニュースグループやクリッピングサービスから日々何百通も受信ボックスに押し寄せる、不特定多数宛てのメールを分類する方法を考えた。テリーとニコルズは、ほかのユーザーのおすすめにもとづいてユーザーがメールの優先度を決められるようにする「協調フィルタリング」というシステムを考案した。要するに、仲間をフィルタリングアルゴリズムにするようなものだ。

協調フィルタリングを機能させるために、ニュースグループからのメールの末尾に2つのボタンを付加した。1つは「気に入った！」、もう1つは「気に入らない！」のボタンだ。あるユーザーがどちらのボタンをクリックしたかによって、別のユーザーの受信ボックスでそのメールが上のほうに来るか下のほうに来るかが決まる。ユーザーは、特定の人からのおすすめ、特定のトピック、特定のグループなどの条件を登録することでフィルターを自分仕様にすることができ、複数のフィルターを組み合わせることでレコメンド機能をカスタマイズできる（たとえば「comp.misc.baseballというニュースグループでジョン・スミスがおすすめしたヤンキースに関する記事なら表示する」といった具合だ）。

テリーとニコルズは、さらに誘い入れた2人の研究者とともにそれから半年ほどでタペストリーを完成させた。同僚たちに公開すると、数十人が申し込んだ。こうしてレコメンドエンジンが生まれたのだった。

時間の節約から時間の奪取へ

今やレコメンドエンジンが世界を動かしている。読者がこの本を読んでいるあいだにも、世界中で何十億もの人がアルゴリズムの「おすすめ」に従って、どの服を着るか、どのアドバイスに従うか、どの求人に応募するか、どの食料品を買うか、どの水道工事業者に仕事を頼むか、どの株に投資するか、どのテレビ番組を見るか、どのレストランに行くか、どの音楽を聴くか、どの交際相手候補とデートするかを決めている。情報のエコシステム全体が、FacebookやTwitterやYouTubeといったソーシャルメディアプラットフォームの原動力となるレコメンドエンジンを中心として形成されている。これらのプラットフォームはみな、誰の発言に耳を傾けるべきか、どの記事が重要か、何に注目すべきかをユーザーに教えるのにアルゴリズムに頼っている。私たちの政治、文化、さらには人間関係までもが、これらのシステムが差し出す「おすすめ」と密接に結びつき、さらにそれらの仕組みを解明して悪用しようとする者の弄する裏技的な手口とも固く結びついている。

アルゴリズムによる「おすすめ」が現代の生活のあらゆる部分に入り込んでいるという事実は、今のところほとんど認識されていない。それでも私たちが日々下す決定のうちどのくらいを機械に委ねているかを考えるなら、人類という種のレベルで歴史的な変化が今まさに起きているとしか思えない。

「自分がどんな人であるか、何を望むか、どんな人になりたいか、こうした事柄をレコメンドエンジンが決定する度合いがどんどん高まっている」と、レコメンドエンジンを扱った本の著者でＭＩＴのリサーチフェローのマイケル・シュレージは述べている。[3]

「未来の自己は、『おすすめ』によって形づくられる」と彼はさらに記している。最新のレコメンドシステムは、ダグ・テリーとデイブ・ニコルズがメールの受信ボックスを整理するために開発したものとは比べものにならないほど強力だ。昨今のテクノロジー企業は、強大な演算能力を利用して膨大なデータセットからパターンを見出したり、機械学習を利用してユーザーの行動に関する詳細なモデルを生成したり、することができる。たとえば1億人のオンラインでの購買行動を調べて、特定ブランドのドッグフードを購入する人は統計的に見て共和党に投票する傾向があるといったパターンを探し出すのだ。

もう1つの大きな違いとして、過去のレコメンドシステムは時間の節約を目的としていたのに対し、最近のレコメンドシステムは多くが人から時間を奪うことを目的としている。Facebook、Instagram、YouTube、Netflix、Spotify、そして『ニューヨーク・タイムズ』も、レコメンドシステムを使ってユーザーごとにぴったりなフィードを選び、機械から見てユーザーがなるべく長時間を費やすと思われるアイテムを提示するのだ。

この種のアルゴリズムは驚くほどの効果をもつ。YouTubeは、ユーザーがYouTubeに費やす時間の70パーセント以上をおすすめ動画に費やすと発表している。[4] Amazonではページ閲覧の30パーセントがおすすめ経由だと推測されていて、これは年間数百億ドルの売り上げに相当する。[5] Spotifyのアルゴリズムが生成する「ディスカバー・ウィークリー」のプレイリストは音楽業界のヒットメーカーとなっており、月間ストリーム数の半分以上、

8000組以上のアーティストがこれによって再生されているという。[6] Netflixでは視聴される映画の80パーセントがおすすめによるものであり、おすすめによって年間10億ドルの収益を得ていると公表している。[7]

おすすめが発揮する心理的な威力を明らかにしたのが、ミネソタ大学教授のゲディミナス・アドマビチウスによる2018年の研究だ。[8]

研究では、3つの実験を行なった。最初の実験では、参加者に歌のリストを渡す。各曲には1個から5個の星で評価が示されている（評価は実際にはランダムだが、参加者にはそれが参加者自身の好みにもとづくものだと伝える）。参加者は、希望すれば各曲の短いサンプルを聴くことができる。それから各曲を購入するのにいくらなら払ってもよいか答える。

第2の実験では、PandoraやSpotifyなどの音楽ストリーミングサービスで採用されているのと同じようなアルゴリズムを使い、本物のおすすめ楽曲リストを生成して参加者に渡す。ただし研究チームは事前に手を加え、意図的に一部の曲について星の数を変更する。最初の実験と同様に、参加者は希望すれば各曲を評価する前に短いサンプルを聴くことができる。

第3の実験では、再びランダムな評価を示した楽曲のリストを渡す。ただし今回は、参加者は評価前に必ず曲全体を聴くこととする。

初めの2つの実験で得られた結果は予想どおりだった。星の数で示される評価が実際には本人に合ったものでなくても、参加者はその評価を信じ、高評価の楽曲に自分も高い評価をつけた。

その一方で、第3の実験の結果は予想外だった。評価前に曲を聴くよう強制した場合、事前の評価による効果がなくなると研究チームは予想していた（アルゴリズムによる評価を知ることよりも、実際に曲を聴くことのほうが、曲が自分の好みかどうかを判断するのにはるかにすぐれた材料になると考えていた）。ところが参加者はこの実験でも、高評価の楽曲に対して著しく高い金額を答えたのだ。つまり、自分自身の経験よりも機械によるランダムな評価のほうが判断に影響したというわけだ。

「消費者は自分で経験したものや気に入るとわかっているものを選好するとは限らない。気に入るだろうとシステムから言われたものを選好するのだ」と研究チームは記している。最善の場合、レコメンドシステムは消費者に力を与える有用な手段となる。強力な機械が個人専属のコンシェルジュとなり、広大なインターネットの世界を探索し、個人の好みにぴったり合った経験をもたらしてくれる。

逆に最悪の場合、レコメンドシステムは押しの強いセールスマンのように、こちらが望んでいない選択肢を目の前に突きつけ、心をもてあそび、こちらが屈服するのを期待する。レコメンドシステムがあっても、私たちはなお理屈のうえでは支配権を握っている（なんと言っても、私たちは主体性と自由意志をもつ人間なのだ）。しかしレコメンドシステムが行使する力は、必ずしも友好的な提案として私たちを後押しするわけではない。それらのシステムはしばしば選択肢を操作して、私たちがシステムにとって好都合な選択をするように強制する。望ましい選択肢を選びやすく、あるいは目立たせる一方で、望ましくない選択肢はメニューの奥深くの何回もクリックしなければたどり着けないようなところに追いやる。多くのレコメンドシステムには、自動再生やワンタップ購入など、手間を減らす機能が備わっている。それらはみな、ユーザーに立ち止まって機械の好みが実際に自分の好みと一致するか考える時間を与えず、すぐさま決断させるように設計されている。

好き嫌いを操る力

機械が私たちの好みを作り出せるという事実は、シリコンバレーでは秘密でも何でもない。ユーザーがクリックし、購入し、注意を向ける対象を変えるために巧妙なデザイン要素を利用する「選択アーキテクチャー」という分野が、プロダクトデザインの一分野として存在するくらいなのだ。

選択アーキテクチャーが役に立つ場合もある。たとえばローカルビジネスレビューサイトのYelp（イェルプ）は、近所で評価の高いレストランをデフォルトでユーザーに教えてくれるので、ユーザーは地元のレストランがアルファベット順にすべて掲載されたリストをいちいち調べる必要がない。一方で、選択アーキテクチャーは私たちを操り、必要のないもの、役に立たないもの、自分では見つけ出さなかったはずのものに目を向けさせることもできる。

テクノロジー研究者のクリスチャン・サンドビグはこれを「不正な個別化」と呼ぶ[9]。これが最もわかりやすい形をとるのは、企業が自ら評価に手を加えている場合だ。アルゴリズムをちょっといじるだけで、Netflixはユーザーに自社のオリジナル番組を視聴させ、Amazonはユーザーを自社ブランドに誘導することができる。Appleは、他社のアプリのほうが望ましいかもしれない場合でも、Appleストアで自社アプリをおすすめすることができる。

ユーザーの選好を大々的に操る力に対して、一部のテクノロジストは不快感を抱いている。データサイエンティストのレイチェル・シャットは、2012年に『ニューヨーク・タイムズ』のインタビューで「モデルに可能なのは、予想だけではありません。何かを起こすこともできるのです」と語っている[10]。Facebookの元プロダクトマネジャーはニュースサイトのバズフィードニュースによる取材で、さらに突っ込んだ話をしている。Facebookのレコメンドアルゴリズムは、要するに「人を再プログラムする」試みだというのだ[11]。「人の抱いてきた価値観がすべて書き換えられてしまうなんて、信じがたいでしょう」とFacebookの元社員は続けた。「しかしこのようなシステムを使えば、そんなことも可能なんです。私はそのことにいささか恐怖を覚えました」

フランス人研究者のカミーユ・ロートは、デジタルのレコメンドシステムを2つに分類する。[12] 1つは「人の心を読む」アルゴリズムで、すでに存在する好みを新しい情報に適用することを目指す。もう1つは「人の心を変える」アルゴリズムで、こちらはすでに存在する好みを変えたり、それまで存在しなかった好みを生み出したりすることを狙う。

何年ものあいだ、たいていのレコメンドシステムは「心を読む」アルゴリズムだった。ユーザーが見たがっているものを推測し、それを見せようとしていた。ところが最近になって、「心を変える」アルゴリズムのほうが儲けにつながることにテクノロジー企業が気づいた。GoogleとFacebookを世界有数の価値のある企業へと押し上げた手法である「ターゲット広告」では、「心を読む」テクノロジーと「心を変える」テクノロジーを組み合わせる。データを分析してユーザーの好みを推測し(「ターゲット」の部分)、それからユーザーの心を変える試みに対して広告主に費用を支払わせる(「広告」の部分)。

現在のレコメンドアルゴリズムは非常に高性能で、さまざまなシステムにしっかり埋め込まれているので、おすすめするというよりむしろ「決定」アルゴリズムとして機能することも少なくない。特定の情報のランキングを上げたり、選択肢の優先順位を特定の方法で上げたりすることによって、これらのアルゴリズムは実際には自らに都合のいい結果へとユーザーを誘導しながら、ユーザーに自由意志の幻想を抱かせることができる。

機械まかせが危険なのは、私たちが自らの指針として人間的な能力を最も必要とするときに、私たちを最も人間らしくする要素をアルゴリズムがひどくむしばむからだ。計画を変更したり、困難な目標を追い求めたり、大勢に逆らって不人気な選択肢を選んだりする力が骨抜きにされてしまうのだ。私たちはアルゴリズムに促されるままに考えて行動することによって、AIと自動化の時代に私たちを守ってくれるはずの個人の自律を奪われる。しかも、アルゴリズムは私たちを助けているかのように見せかけているのだ。

2017年、Amazonのエンジニア、ブレント・スミスとMicrosoftのデータサイエンティスト、グレッグ・リンデンは、Amazonのレコメンドアルゴリズムの歴史を扱った論文において、AI主導の未来のビジョンを描いてみせた[13]が、私にはそれがきわめてディストピア的でものすごく現実的だと感じられた。

「すべてのインタラクションは、ユーザーがどんな人で何を好むかを反映すべきであり、またユーザーと同じような人たちがすでに見つけているものをユーザーが見つけ出す助けとなるべきである」と2人は書いている。「明らかに自分には合わないものが現れたら、空疎でお粗末だと感じられるはずだ。まだ自分のことが理解してもらえていないのかと感じるだろう」

2人はさらに続ける。「この段階に至るには、おすすめについて新しい考え方が必要である。レコメンド機能やレコメンドエンジンなど要らない。むしろ、ユーザーやほかの人や提供可能なアイテムを理解することが、あらゆるインタラクションに必要なのだ」

あらゆるインタラクションだ。買い物についてきて、歯磨き剤やトイレットペーパーのブランドを耳もとで指示するだけではない。レコメンドアルゴリズムを使って私たちの選択を誘導するエンジニアや企業幹部から見れば、私たちの行動すべてが機械のモデルの一部であるに違いない。このような自動化された未来のビジョンにおいては、新たな好みを生み出したり、白紙の状態から何かを始めたりする余地などない。人が何者であるかは機械が判断することであり、それはまた機械がその人に望むものでもある。

「摩擦のない」デザイン

レコメンドアルゴリズムが機械まかせを生み出す一要素であるなら、もう1つの要素はシリコンバレーの用語で「フリクションレスデザイン」と呼ばれるものだ。

現代のテクノロジストにとって、最大の敵は摩擦（フリクション）だ。といっても、物理の授業で出てくるような文字どおりの摩擦ではなく、ユーザーがなんらかのタスクを遂行する過程で出会う不要な遅延や非効率から生じる、比喩的な意味での摩擦、すなわち「手間」だ。テクノロジー企業は数十年かけて、利益を得るために私たちの暮らしから手間を省いてきた。たとえばタクシーを呼んだり、日用品を注文したり、店頭で支払いをしたりするのが以前よりも簡単になった。今やフリクションレスデザイン（手間を省いたデザイン）は、テクノロジー業界の野心的な有力者にとっては宗教の教義のようなものとなっている。この業界の起業家ブレンデン・マリガンは、手間を嫌うシリコンバレーの風潮をまとめた小論をブログサイト「テッククランチ」で発表した。[14]

「ユーザーがサービスを利用する際や登録する際に手間を感じるなら、それは問題だ」とマリガンは記した。「どうしても避けられない場合もあるが、可能な限り手間を省くべく、全力を注がなくてはいけない」

私がフリクションレスデザインというコンセプトに初めて出会ったのは2011年、Facebookが「フリクションレス・シェアリング」という新機能を導入するとCEOのマーク・ザッカーバーグが発表したときだった。[15] これはNetflixやSpotifyなど特定のアプリがいちいちユーザーの許可を求めず、ユーザーのフィードに直接メッセージを送れるようにするというものだったが、思わしい成果を上げることができず、Facebookはかなり短期間でこの機能を廃止した。それでも「フリクションレス」な製品という発想はシリコンバレーの想像力をとらえ、UberやSquareなどのテクノロジー企業がフリクションレスデザインに力を入れ始めた。Amazon創業者のジェフ・ベゾスは2011年、投資家に宛てた手紙の中で、ユーザーの手間を省くことによってもたらされる戦略上のメリットを明確に述べた。[16]

「手間を省いて物事を簡単にすれば、人はそれにもっと手を出すようになる」とベゾスは記している。

フリクションレスデザインには、紛れもなくすぐれたものが多い。たとえば医師の診察室や自動車管理局では手間を避けたい。飛行機の予約や保険金請求、失業保険の給付申請にあたっては、無駄に手間暇をかけたところで何も素敵ではなくロマンチックでもない。日々の暮らしの中で、あまりにもたくさんの手間にわずらわされるアメリカ人はまだまだたくさんいる。そして私のような発言力をもつ白人男性が、ちょっとした不便（たとえば役所に書類をファックスで送らなくてはならない場合など）を強いられると、その「手間」はしばしば大きく取り上げられる。

とはいえ、手間に対するシリコンバレーの闘いには代償が伴っている。その代償は、消費者のスマートフォンやパソコンの画面から消えた手間の行き先と関係している場合もある。テクノロジー製品の「手間の解消」が、負荷を単に低所得の労働者に転嫁することを意味する場合も少なくない。Amazonは消費者の手間を省くことに全力を注いでいるが、そのせいで倉庫作業員の負担が増えている。Uberでは元CEOのトラビス・カラニックが、乗客からドライバーにチップを渡すか選べる機能をアプリに搭載すれば無駄な手間が生じてしまうと考えたせいで、ドライバーは何百万ドルものチップをもらい損ねた[17]（カラニックを追い出したあと、Uberは方針を改めて、この機能をアプリに加えた）。

とはいえ、フリクションレスシステムの最大の問題は、そうしたシステムが私たちの自律性に及ぼす影響だ。レコメンドアルゴリズムと同様、フリクションレスシステムも私たちを集団の平均値付近に引き寄せる。最も人気のある選択肢、最もあり得そうな結果、最も抵抗の少ない道を選ぶようにと、私たちに教え込むのだ。困難で直感に反することを私たちにやらせようと促すことはめったにないし、私たち自身の衝動をじっくりと検分したりもしない。テクノロジー評論家のティム・ウーが「利便性の横暴」と呼ぶもの（最良の解決策は常に最も簡単なものであるという考え）を強化することによって、フリクションレスシステムは私たちが長期的にはもっと高く評価するかもしれないもの、たとえば新たな経験を試すことや手ごわい障壁を克服することなどを見過ごすように、私たちを操ることができる。[18]

レコメンドシステムやフリクションレスデザインは、私たちのせわしなく混沌とした暮らしから煩雑さを取り除くことができる。このことを思えば、それらのシステムやデザインがもてはやされるのも当然だ。繰り返して言うが、個別化されたおすすめや手間を省いたアプリがすべて「悪」というわけではない。

ただし、ツールにあまりにも自分を委ねてしまうことには気をつけなくてはいけない。機械まかせの風潮を生み出す考え方というのは、基本的にニヒリズムなのだ。これは、私たちには定量化したり一連のデータ点に還元したりできない重要なものなど何もなく、機械の影響から守るに値する精神生活もないと私たちに思い込ませようとする企みだ。レコメンドエンジンやフリクションレス製品は私たちを助けてくれるが、それらが究極的に目指すのは、私たちが機械に自らを引き渡すこと、海で荒波にとらわれた人が抗うのをあきらめて、ただ水面に浮かんでいようと決心するのと同じことなのだ。

自分自身の好みを把握しよう

機械まかせに抗う第一歩として私が勧めるのは、自分の好みを総点検することだ。1日のうちに自分が下した選択をすべて把握し、それらのうち真に自分で下したのはどれで、機械の指示や誘導に従ったのはどれか判断する。毎月、同じブランドのドッグフードを買っているのは、Amazonに勧められたからなのか、それとも実際に愛犬の好みだからなのか。日々通勤に使う経路は、自分でそれがいいと思って決めたのか、それともGoogleマップからそれが最も効率的だと教えられたのか。「いいね」の数や閲覧数やリツイート数が絡んでこなくても、特定の旅行をしたり、特定のジャケットを着たり、特定の政治的姿勢について声高に発言したりするだろうか。自分が何者であって、自分に最大の喜びや充実感をもたらしてくれるものは何かという自分だけの問題であっても、それらの行動は変わらないだろうか。

自分の好みや価値観、優先事項を詳細に把握したら、今度はそれを書き留めよう。本当に好きな趣味や活動は何か。ほかの人に知られることがなくても保ち続けるであろう政治的および精神的な信条はどんなものか。真に人生を豊かにしてくれるのはどんな人間関係か。このリストをいつも手近に置いておこう。壁に貼ってもいい。まずはこれが自己の核を形づくる設計図となる。この先もずっと、基準点として役に立つだろう。

機械まかせに抗う手立てとして、「ヒューマンアワー」と私が呼んでいるものを実行してもいい。毎日平日のだいたい同じ時間帯（私の場合、ふだんは午後5時から6時）、私は少なくとも1時間、デジタル画面から離れて、テニスや料理や犬の散歩など、自分が本当に好きなことをする。完全に自分の意思でやりたいことを選ぶのが大事だ。この時間、私は「することリスト」の項目を消さないし、家の雑用もやらない。1日1時間、それ以外の時間に絶えず私を引きずり回すインセンティブや見えない力の絡んだ網から逃れて、自分をもっと人間らしい気持ちにさせてくれる活動をすることで、自分の欲求や優先事項に立ち返ることがポイントなのだ。

機械まかせに抗うために、私は日々のルーチンに少し手間を加えることも始めた。電動ドリルを買いたければ、Amazonで注文しないで地元のホームセンターまで車を走らせる。朝のコーヒーに加えるミルクは、冷たいままではなく2分かけて温める。週末には、Twitterの見出しをスクロールするのではなく紙の新聞を読む。通勤時には、遠回りのルートを選ぶ。15分余計に時間がかかるが、こちらのほうが眺めがよくて格段に快適なのだ。

確かにこんなことはきわめてささやかな不便であり、自分の意思でそれを選択できる時間と余裕があるという点で、私はとても恵まれている。多くの人は、私よりもずっと厳しい環境で激務をこなしている。そういう人は、便利なものが利用できるならいくらでも利用するべきだ。テクノロジーエンジニアやプロダクトデザイナーには、すでに利便性を享受している人の暮らしからわずかばかりの不便さを少し削ぎ落とすよりも、弱い立場にあって社会の主流から外れている人たちのために手間を省く方法を見出してほしい。

一方、自分でテンポを選べる恵まれた人には、手間や自律性が少し加わったライフスタイルは楽しいものとなり得る。なんといっても、人生で最も幸福な瞬間や最も誇らしい快挙が、アルゴリズムに判断を委ねた結果ということはまずないだろう。登頂した山や完走したマラソン、きちんと育て上げた子ども――これらはみな厳密に言って必要以上のことをするという意図的な選択がもたらした成果だ。やりがいのあることは往々にして困難であり、困難は機械の敵なのだ。

ゼロックス社のパロアルト研究所で30年近く前、初のアルゴリズムによるレコメンドシステムの「タペストリー」を開発したエンジニアのダグ・テリーに、私はこのあいだ電話をかけた。62歳になったテリーは、今もAmazonで働いている。タペストリーが生まれた当初の思い出話を聞いたあとで、私は彼にFacebookやYouTubeやNetflixなどのサービスの原動力となっているレコメンドエンジンについてどう思うか尋ねてみた。

「比べようがないね。私たちのは小さくてシンプルなシステムだったが、最近のは何十億人というユーザーに何兆件ものおすすめを出している。規模も複雑さも、とにかく何もかも桁違いだ」とテリーは答えた。

送られてくるニュースを仲間からのおすすめにもとづいて選り分けるというアイデアを思いついたころ、同じテクノロジーが何十億ドル規模の巨大テクノロジー企業を台頭させる力となり、世界の情報エコシステムを根本から変えることなど、テリーには知る由もなかった。私たちの好みを把握するように設計されたアルゴリズムが実際には好みを歪めているのではないかという懸念、機械まかせに関する不安、ソーシャルメディアのおすすめのせいで急進化してしまった情報提供者など、気がかりなことを私から話すと、彼は心配そうな顔を見せた。

昔のおすすめは単におすすめだった、と彼は言った。ところが今では、もっと決定力をもつようになった。彼はこの状況を「雪だるま効果」と言い表した。アルゴリズムが人の関心を決定し、それに合うものを次々に見せられる人は、やがて自らの世界観を狭め、すでに見たことがあって心地よさを覚えられるものだけに目を向けるようになるのだ。

「課題の1つは、居心地のいい場所から外へ足を踏み出させることだ。レコメンドシステムは、それとは逆のことをする。地平を狭めてしまうのだ」とテリーは語った。

ルール3

デバイスの地位を下げる

コンピューターは有能で効率的なしもべにはなりますが、私はコンピューターのもとで働きたいとは思いません。

――ミスター・スポック『スタートレック』

スマートフォン（スマホ）への嫌悪を初めて自覚した瞬間のことは、はっきりと覚えている。

2018年12月、クリスマスの数日前だった。マンハッタンの劇場で、妻や数人の友人とともに、アルビン・エイリー・アメリカンダンスシアターによる世界屈指の公演を鑑賞していた。幸運にもかなりいい席が取れたので、何週間も前から楽しみにしていた。

第1幕の途中で、ポケットから呼び出し音が聞こえてきた。無視したが、数分後にまた鳴った。何だろう。さっき投稿したInstagramが炎上しているのか？　編集者が怒りのメールを送ってきているのか？　考えるのをやめて、目の前で躍動するダンサーたちに集中しようと努めた。だが、想像は止まらない。アパートが火事だったら？　Twitterにうっかり何か不適切なものを投稿してしまい、トランプ大統領が今まさに私のことを「ニューヨークスライムズでフェイクニュースを垂れ流す大バカ野郎」呼ばわりしていたら？

これ以上は放っておけないと思った。口の動きで妻に「トイレ」と伝えると、大急ぎで彼女の前を突っきって通路をダッシュし、トイレに駆け込んだ。個室に入ると、急いでスマホを取り出した。

目に飛び込んできたのは、ほぼ無意味なものばかりだった。どうでもいいメールが数通、薬局からのメッセージが1通、それにInstagramのコメントが1、2件。だが、緊急の呼び出しではなかったとわかっても、すぐには席に戻らなかった。個室内で完全に服を身につけたままで突っ立ち、TwitterとFacebookをチェックして情報の遅れをすべて取り戻すまでに、たっぷり15分はかかった。われに返り、トイレを出て席に戻ろうとすると、向こうから人の波が押し寄せてきた。休憩時間だ。私は第1幕の後半をすべて見損ねてしまったわけだ。

すばらしいダンスを一部見損ねてしまったのに加えて、このうえもなくくだらない理由でそうしてしまったことに気づくと、自分が嫌になった。大切な人たちに囲まれて真に心に残る経験をするせっかくのチャンスだったのに、私はトイレの個室にこもってスマホをいじり、安っぽいドーパミンの刺激を求めていた。しかも、まるで抗いようのない見えない力に脳をわしづかみにされたかのように、ほぼ自動的にそんなことをしてしまったのだ。妻のところに戻ると、どこに行っていたのか、何かあったのかと訊かれた。

「ちょっと急用で」と私は嘘をついた。


私にとって最初のスマホとなるブラックベリーパールを使い始めたのは2006年、大学1年のときだ。グレーの長方形の端末で、キーボードの中央には白いテンキーが並んでいた。私はすっかり夢中になり、これでメールを送受信したり、ブリック・ブレーカーというゲームをプレイしたり、気の利いたBBM（ブラックベリーのあいだだけで送れるテキストメッセージで、キャンパスのオタクたちのあいだではステータスシンボルだった）のメッセージを考えたりして、1日に何時間も過ごしていた。

シンプルな折りたたみ式携帯電話が主流だった世界で、ブラックベリーは絶大な威力をもっていた。ポケットにアレクサンドリア図書館が入っているようなもので、思いついたらすぐに調べ物ができ、議論を決着させ、あらゆる知り合いに連絡できる。かっこいい最新の機器を手に入れたというよりは、絶えず流れ込んでくるリアルタイムの最新情報を通じて、居ながらにしてなんでもわかる高度な認識力を身につけたようだった。

私はこの目新しさにもやがて飽きるだろうと思った。だが、そうはならなかった。逆に私はいっそうのめり込んでいった。2007年にiPhoneが発売されたときには、行列に並んで手に入れた。Twitterのアカウントを開設し、RSSリーダーを設定した。グループメッセージを始め、ニュースアラートをホーム画面にプッシュ表示させた。スマホに費やす時間がだんだん増えていった。まず1日に3、4時間ほどとなり、やがて6、7時間まで増えた。ほぼ毎晩、寝るときには枕元にスマホを置いていた。

最近まで、自分のスマホの使い方が特に問題だとは思わなかった。しかし1、2年前、問題領域への一線を越えてしまった。ソーシャルメディアのせいでいらだちや憤りを覚えることが増えてきた。プッシュ通知やニュースアラートを何年間も受け取り続けたせいで注意力が持続できなくなり、本を読むにも長編映画を見るにも友人と落ち着いておしゃべりするにも、支障をきたすようになった。自分が現実世界から遠ざかろうとしているのを感じ、ポケットの中で広がるダイナミックで鮮明な宇宙と比べると、オフラインの世界はきめが粗くセピア色に見えてきた。

数カ月のあいだ、私はスマホ中毒から脱しようと、Twitter とFacebookをアンインストールしたり、画面をグレースケールにしたり、いろいろなアプリをアクセスしにくいフォルダーに移したりした。それでも効果はなかった。画面を見て過ごす時間は増え続け、スマホは私の生活を邪魔し続けた。ある晩、iPhoneの使用時間がわかるという通知を受け取った。そんな数字を知って何になる? 知りたくなどなかったが、とにかくiPhoneは私にデータを伝えてきた。それによると、1日の平均使用時間はほぼ6時間。1日の最高は8時間28分だった。

デバイスが意識を高め、社会生活を豊かにし、人間性を新たな方向へ伸ばしてくれていると、何年間も信じてきた。ところが実際には、デバイスを使っているのではなくデバイスのしもべになっていることに気づいた。初めのうちは徐々に、そしてアルビン・エイリーの公演中のトイレで一気に、その気づきは訪れた。私は毎日、スマホに重要だと教えられたことに注意を向け、通知音に従って行動し、スマホの決めた優先順位を自分のものとして受け入れていた。

かつて、私にとってスマホは信頼できるアシスタントだった。ところがあるときから地位が上がり、人遣いが荒く要求の多い悪夢のようなボスとなった。

スマホというロボットの支配

スマホをめぐって、読者は私ほど深刻な問題を抱えてはいないかもしれない。それでもここ数年のあいだに、自分で嫌になるほどしょっちゅうスマホをチェックしたり、FacebookやTwitterのフィードを漫然とスクロールするのに気を取られて大事な用事を忘れてしまったり、といった経験はないだろうか。

読者に罪悪感を覚えさせたいとか、スマホ中毒だと責め立てたいとかいうわけではない。ただ、デバイスとの関係を見直してほしい。さまざまなデバイスこそ、私たちが最も多くの時間をともに過ごすロボットなのだ。

自分のデバイスをロボットと考えるのは妙な話だ。だが、スマホもタブレットも、あるいはノートパソコン、スマートウォッチ、デスクトップパソコン、ネット接続されたホームデバイスも、じつはこれまでに作り出されたなかでもとりわけ高度なAIをユーザーとつなぐ中継装置となる。Facebook、Google、Twitterといった企業は、人を引き込むことを目的とした世界規模の高度な機械学習アルゴリズムを構築している。つまり、ユーザーの大脳辺縁系をショートさせて注意力をそらし、なるべく長時間にわたってクリックやスクロールを続けさせることを目的としたアルゴリズムを作っているのだ。

これらのテクノロジーによって、デバイスの使用のもつ意味が根本から変わった。スティーブ・ジョブズがパソコンを「心の自転車」と呼んだことはよく知られていて、これは長いあいだ的を射た比喩だった。自転車と同じく、パソコンは私たちが目的地に早く到着するのを助け、世界中でアイデアや物を行き来させるのに必要な労力を削減してくれた。ところが最近では、多くのデバイス（およびそこにインストールするアプリ）が自転車というよりは暴走する列車のように機能する設計となっている。それらのデバイスやアプリは、新しいメール、Facebookの「いいね」、TikTokの愉快な動画といった報酬が得られる可能性を私たちにちらつかせて誘惑する。いったん誘惑されたユーザーは、デバイスやアプリの決めた目的地へ一気に連れていかれる。それはユーザーがもともと行きたかった場所のこともあるし、そうでないこともある。

この力がたいてい目に見えないものだからといって、現実の世界から遠く離れているわけではない。FacebookやYouTubeなどのプラットフォームを支えるアルゴリズムは、人間を月に送ったテクノロジーより何倍も高性能であり、さらにはヒトゲノムの解読を可能にしたテクノロジーをもはるかに上回るのだ。FacebookやYouTubeのアルゴリズムは、何十億ドルもの研究と投資、エクサバイトにおよぶ個人情報、世界トップクラスの大学の何千人という博士号保持者のもつ専門知識がもたらした産物だ。これらのＡＩは私たちが子どものころにＳＦ映画で見た未来のスーパー知能のようなものであり、画面の向こうから一日たりとも休むことなくこちらを見つめている。私たちを観察して私たちの好みに合わせ、どんな刺激を与えたら動画をあと1本多く見てもらえるかとか、投稿を多く共有してもらえるか、広告を多くクリックしてもらえるかを突き止めようとしている。

人間はすでに何世紀も前から、機械が人の心に与える悪影響を懸念している（アダム・スミスは『国富論』において、自動化された工場の設備が私たちを「人間という生き物がなり得る限り最大限に愚かで無知[1]」な存在に変えていると警告した）。最近では、スマホのもたらす悪影響に対して警鐘を鳴らすというのがある種の流行となっている。今では成人向けに「スクリーン・デトックス」をするリゾートがあり、子ども向けにはスマホの使用時間について相談に乗ってくれるコンサルタントがいる。メンバーに毎週1日、デジタル機器を完全に手放させる「デジタル休暇」グループというのも存在する。従来のスマホの問題を解決できる新しいタイプの端末も開発されている。たとえばライトフォンという250ドルのシンプルなスマホは、画面は白黒で、通話とテキストメッセージしかできない。

スマホに支配されるべきではない3つの理由

もう一度言うが、私はスマホ使用時間原理主義者ではない。読者に「あなたはスマホを使いすぎだ」と言い聞かせたいわけでもない（実際に使いすぎている可能性は大いにあるが）。私が望むのは、自分が何年も前にすればよかったと思っていることをほかの人にもしてもらうことだ。自分とデバイスとの関係を直視して、「ここではどちらが真の支配者か」と自問してほしいのだ。

この問いの答えがなぜそんなに大事なのか。それにはいくつかの理由がある。

第1に、いずれ迫られる真に人間らしい仕事（社会性と意外性と稀少性を備え、機械にはできないあらゆる仕事）をこなすために、私たちは自らの心と体を支配し、注意力を制御して正しい方向へ向けることができなくてはいけない。

第2に、デバイスに支配権を譲り渡した場合、ほかの人との関係がどんなふうに損ねられるかを理解する必要がある。心理学者のシェリー・タークルは、「ファビング」（phubbing）という行為について詳細に記している。ファビングとは、「フォン・スナビング」（phone snubbing：スマホで人を無視する）を略した造語で、スマホを優先して人とのかかわりを避けることを指す。耳慣れないが便利な言葉だ。タークルによれば、ファビングは「対話からの逃避――少なくも自由で自発的な会話、アイデアと戯れて自らを存分に表現するとともに批判を受け入れる会話からの逃避」につながる。[2]

研究によれば、ファビングをすると（あるいは人と交わっている最中にスマホをそばに置くだけでも）、ほかの人と楽しい経験をするのが困難になるらしい。ブリティッシュコロンビア大学で行なわれた研究では、300人以上の参加者にレストランで友人や家族と会食させて観察した。[3]参加者の半数には、着信音かバイブレーションをオンにしたままスマホをテーブルの上に置いておくように指示した。残りの半数には、着信音やバイブレーションを切ったスマホを入れ物にしまっておくように指示した。食事が終わったところで、この食事の経験に関する質問票を参加者に渡した。スマホをテーブルに置いていた参加者は、スマホをしまっていた参加者と比べて食事を楽しく感じず、退屈したり気が散ったりしたと回答した。

これまでに得られているすべての証拠が、デバイスを使う頻度だけでなく使い方も大事だと示している。研究によれば、精神衛生的によい使い方もあれば悪い使い方もある。たとえばFacebookを受動的に利用する（フィードをスクロールする、動画を見る、最新ニュースを受け取るなど）と、不安感が増して幸福感が低下するのに対し、[4]もっと能動的に利用する（近況を投稿する、友人とチャットするなど）と、もっとポジティブな影響が生じることが示されている。[5]

ここでスマホの地位を下げるべき第3の理由に進もう。スマホなどのデバイスでも人間らしいすばらしいことはいろいろできるが、これらの機械に生活が支配されていると、そうしたよいことをする多くの機会を逃してしまうのだ。

COVID-19パンデミックの初期、人づきあいがもっぱら画面ごしの活動となったときに、私はこのことを痛感した。Zoomで飲み会やゲーム大会に参加し、遠くで暮らす家族とFaceTimeで延々とビデオ通話をし、親しい友人たちのグループ内でテキストメッセージを送り合った。

こうしたポジティブな経験に共通していたのは、他者とのかかわりがあるということ、そしてそれらが実現できたのはテクノロジーのおかげだとはいえ、自分の意思で参加し、コントロールし、かかわり方を決めていたということだった。ユーザーエクスペリエンスに介入する巧妙な手口とか、アルゴリズムによる見えない後押しに操られて参加したわけではない。やりとりを支えたツールを提供する企業は私の参加から利益を得たかもしれないが、私がツールを使い、データを提供するのと引き換えに、それらの企業は私に真に人間らしい価値のあるものを与えてくれた。

つまり、デバイスを使って人間性を高めるか貶めるかの違いは通常、誰が支配権を握っているかによって生じるのだ。

スマホ断ちプログラム

アルビン・エイリーの公演からの帰り道、私は何カ月か前にメールを送ってきた女性を思い出した。キャサリン・プライスという科学ジャーナリストだった。私のような人がスマホの使いすぎを脱してスマホともっと健全な関係を築くのを助けるという30日のプログララムを開発し、『スマホを断つ方法』（*How to Break Up with Your Phone*）という本でそれを紹介していた。[6]

私は家に着くと彼女にメールを送り、助けを求めた。ありがたいことに、「イエス」の返事がもらえた。

スマホデトックスプランを始めるにあたり、キャサリンは私とともに、そもそも私がなぜ自分の習慣を変えたいのか、その理由を探った。渡された事前調査票には、次のような質問が並んでいた。

なぜスマホを「断ちたい」のですか。その経験から何を得たいですか。

スマホのどんなところが好きですか。これからも続けたいのはどんなことですか。

スマホのどんなところが嫌いですか。費やす時間を減らしたいのはどんなことですか。

私は思いをぶちまけた。機械まかせになっているという感覚や、テクノロジーに依存している結果として自分が以前よりも意外性のない退屈な人間になりつつあるという不安について、キャサリンに伝えた。Twitterの炎上騒ぎや対立をあおるFacebookのスレッドのように、たやすくドーパミンをもたらしてくれるやりとり以外には興味がもてなくなってきたことや、友人や家族（思いやりにあふれるすばらしい人たちで、私は彼らの価値観や意見を尊重している）と会話するよりも、赤の他人からネット上で承認されたときのほうが満たされた気分を覚えるようになってきたことを打ち明けた。自分の使っているさまざまなデバイスを完全に手放したくはない（これがなくては仕事ができない）が、生活の中心に据えるのはやめて、失ってしまった意志力や自制心をいくらかでも取り戻したいと訴えた。そしてスマホ使用時間のデータをキャサリンに見せた。それによると、私はふだん1日に5時間から6時間をスマホに費やし、100回から150回もスマホを手に取っていた。

「率直に言って、まともではないですね。死にたい気分です」と私は彼女にメールした。

「確かにちょっとすごいですね」と返信が来た。

キャサリンが最初にくれたアドバイスは、スマホに輪ゴムをはめることだった。

これには目的が2つあります、と彼女は説明した。第1に、指の動きを妨げる小さな物理的障害になる。スマホを使うこと自体は妨げない（ツイッターやテキストメッセージはいくらでもできる）が、手間がいくらか増える。第2に、大事なことを絶えず思い出させてくれる。それが目に入るたびに、私は自分がスマホに手を伸ばしているのに気づいて手を止め、今スマホを見る必要が本当にあるのか、それともただの時間つぶしなのかと考えることができる。

キャサリンの説明によると、スマホデトックスプランの目的は、スマホを完全に取り上げることではない。スマホ中毒の根本原因を特定することだ。たとえば、私は気分的なきっかけ（主に退屈と不安）からスマホに手を伸ばしていることがわかった。これがわかれば、欲求を満たす別の方法を探すことができる。

最終的に、目標は完全なスマホ断ちではなく、注意力を高めることなのです、と彼女は言った。

「あなたの生活というのは、あなたが注意を払う対象なのです。ビデオゲームやTwitterに生活を費やしたいと思うのなら、それはそれでかまいません。でも、その選択は意識的になされたものでなくてはいけません」

スマホに輪ゴムをはめると、私は自分がほぼ無意識にやっている妙な習慣に次々と気づき始めた。職場でエレベーターに乗るときや、アパートの玄関を出るとき、必ずスマホを手に取っていた。それに（このうえもなくおかしな話だが）店でクレジットカードを読み取り装置に挿入すると必ず、カードが受け付けられるまでの3秒間の時間つぶしにスマホを見ていた。

絶え間ない刺激のもととして、スマホにすっかり依存するようになっていることにも気づいた。エアポッドを耳に着けて、音楽を聴いたり通話をしたりしながら歩き回るのがふつうになっていた。洗濯物をたたみながらYouTubeの動画を見て、夕食の支度をしながらNetflixの番組を見ていた。シャンプーしながらポッドキャストを聴けるように、防水ヘッドホンを着けてシャワーを浴びることさえしていた。

私はキャサリンにこのことを話した。彼女は笑い、自分で問題を正しく診断できましたねと言った。

「真の問題はスマホではありません。スマホはドラッグを運ぶ道具にすぎません。もっと大事なのは、自分の心と向き合うにはどうしたらよいかを突き止めることなんです」

心理学ではこの問題を「無為への嫌悪」と呼ぶ。研究によれば、1人であれこれ考えていると、多くの人はひどい居心地の悪さを感じるので、一般に静かな孤独よりは身体的な痛みのほうがましだと思うらしい[7]。バージニア大学で行なわれた実験では、「思考時間」として10分から20分、大学生を空っぽの部屋に1人で座らせた。体に電極を設置し、好きなときにボタンを押して、痛みを伴う電気ショックを自分に与えてよいと伝えた（電気ショックは必須ではなく、これをしたからといって実験が早く終わるわけではない。退屈から気をそらすための選択肢にすぎない）。

実験の結果から、参加した男性の71パーセントと女性の26パーセントが1回以上、電気ショックを自分に与えていたことがわかった。ただじっと座っているか自分に電気ショックを与えるかという選択肢を提示されると、参加者の大半は電気ショックを選んだ。

「本来、人間の心は孤独を好まない」と研究者らは結論した。

私の場合、スマホの地位を下げるためには無為への嫌悪を克服する必要があった。そこで数日間、私は何もしない練習をした。朝、歩いて出勤する際には周囲のビルを見上げて、絶対にポケットからスマホを出さなかった。地下鉄では、ポッドキャストを聴いたりメールを打ったりする代わりに乗客を観察した。ランチの約束に友人が遅れたときには、じっと座って窓の外を眺めていた。

これがどれほど大変か、刺激を求めてスマホに手を伸ばしたいという誘惑にどれほど駆られたか、私はキャサリンに話した。それは当然ですと彼女は言い、デトックスプログラムが目指すのは、単にスマホの使用を減らすだけでなく、オフラインの世界で心を惹きつけ元気を与えてくれるものを再発見することでしたよねと指摘した。

「四六時中Twitterにとらわれているのをやめたことで自分がどうなっているか、広い視野で考えてください」

自分がすきま時間にスマホを使わなくなったおかげで、無為への嫌悪をやり過ごすためにスマホを使う人が自分以外にもどれほどいるかに気づき、恐ろしくなったということもキャサリンに伝えた。どこに目を向けても、うつむいた頭が視界を埋め、光る画面をのぞき込んでいた。私がこれに恐怖を覚えたのは当然だった。

キャサリンは、自分のクライアントたちはよく同じ経験をすると言った。

「家族が裸でいるのを目にするようなものです。あるいはエレベーターに乗って辺りを見回したら、ゾンビたちがスマホをチェックしていた、という状況です。見なかったことにはできませんね」

スマホに輪ゴムをはめて何日か過ごしたあと、キャサリンがくれた別のアドバイスにも従い始めた。夜には眠りを妨げられないように、スマホを寝室の外に置いた。アプリを整理し、気を散らせて時間の無駄につながるアプリは削除し、心を落ち着ける生産的なアプリはホーム画面に移し、プッシュ通知については緊急性が特に高いもの以外は無効にした。それから、注意力の持続時間を取り戻すために読書を始めた。タイマーをセットして、最初は1回に10分、それから20分、さらに1時間まで延ばしていった。毎日、スマホを持たないで散歩に出かけた。料理や陶芸など、両手を忙しく使い、Twitter上で起きていることから気持ちをそらしてくれるような趣味も始めた。

やがて刺激がないという感覚に慣れ始めると、不思議なことに気づいた。現実世界が以前よりもまぶしく、活気に満ちているように見えてきたのだ。スマホを持たずに散歩をしていると、以前だったら絶対に見過ごしていたはずのちょっとしたことに気づいた。アパートと同じブロックにあるイタリアンレストランの看板に書かれた「チキンパルメザン」のスペルにミスがあることや、交差点に立派なカエデの木が植わっていることなど、それまで知らなかった。睡眠と気分も改善し、何年ぶりかで空想にふけった。

キャサリンのプランの最終段階は、24時間スマホをまったく使わない「スマホ断ちトライアル」だ（自分に高いハードルを課すのが好きな私は、48時間を目指した）。自宅から数時間のところにある農場のAirbnbを予約し、「休暇中です」というメールの自動返信を設定すると、妻を連れて都会から離れた気楽な週末へと出発した。

スマホのない小休暇には、厄介な問題もいくつかあった。Googleマップが使えないので道に迷い、車を停めて人に道を尋ねる羽目になった。Yelpも見られないので、営業中のレストランを見つけるのに苦労した。とはいえおおむねすばらしい時を過ごすことができ、数年ぶりに経験する、ささやかで細やかな喜びに満ちた2日間となった。明け方に目覚め、濃いコーヒーを淹れ、遠くまでハイキングに出かけた。本を読み、クロスワードパズルに興じ、炎がパチパチとはぜる音を聞きながら眠りに落ちた。19世紀の入植者のような気分だった。ただし当時の入植者とは違って、TikTokでおもしろい動画を見逃していないかとたびたび心配になるのは止められなかった。

スマホの地位を下げた効果のほどは？

最終的に、キャサリンの30日間スマホデトックスプランのおかげで、私はスマホ使用時間を減らすことができた。1日の平均使用時間は6時間近くから1時間を少し上回るくらいまで激減した。スマホを手に取るのは1日にわずか20回ほどとなり、プランを始めたときからおよそ80パーセント減った。

それだけでなく、数字では測りにくい効果もあった。

まず、デバイスの地位を下げることによって、生活の中でそのありがたさがよくわかるようになった。私は長いあいだ、携帯電話やノートパソコンを、現代を生きる代償として背負わされる荷物のように思っていた。しかし1カ月にわたって疑似的に手放してみると、初めてブラックベリーを手に入れたときと同じように、それらが驚嘆すべき奇跡であるように感じられてきた。ほんの何回かタップやスワイプをするだけで、記録されているどんな情報も呼び出せるし、世界中のほとんどの人と話すこともできる。私はこのことに感嘆した。テキストメッセージやメールは漫然と続く退屈なやりとりではなく、楽しさに満ちた交流となった。インターネットは以前のように健全なものに感じられてきた。

デバイスの地位を下げた2つめの効果として、生産性が格段に上がった。労働生産性といった厳密な経済学的意味ではなく、「生み出す」ものが増えたという文字どおりの意味で生産性が上がり、新しいアイデアやインスピレーションに満ちた問題解決策、そしてほかの人を巻き込む交流がもっと生まれるようになったのだ。これまでデジタルの世界で存在を維持するために投入してきた認知的および創造的なエネルギーを別の方向に向けると、やりたいと思えるさまざまなプロジェクトが頭に浮かんだ（本書の企画書を書くというのもその1つだった）。スマホがもたらすアドレナリンやコルチゾルで一日中ハイになっている状態を脱したおかげで、プロジェクトを実行に移すエネルギーが私にはあった。感情が研ぎ澄まされたのも感じ、以前よりも容易に人の気分が理解できた。Twitterを見つめ続けていたら気づかなかったであろう、言葉によらない細かなシグナルまで感知できるようになったのだ。

デバイスの地位を下げて得られた3つめの大きな成果は、私の周囲のすべての人に及んだ影響だ。これはまったくの予想外だった。スマホデトックス中、私はこのことで騒ぎ立てないように努めていた。自分が流行の健康法を実践していると吹聴して回る人ほどうっとうしいものはない。それでも輪ゴムをはめたスマホは、職場でも、カフェでも、飛行機の機内でも、どこへ行ってもいやおうなく目立ってしまう。だから私はキャサリンのプランについて、見知らぬ人に何十回も説明することになった（そのおかげで彼女の本の売り上げにも何百冊分か貢献しただろう）。私の集中力が改善したことにより、ほかの人もそれぞれの環境に注意が向くようになった。仕事の打ち合わせ中には、私が身動きもせず熱心に人の話に耳を傾けているのに同僚たちが気づき、彼らも自分のスマホをしまうようになった。公園に行くと、自分の犬が草地を駆け回るのを私がいかにも楽しげに眺めているのを見て、ほかの飼い主たちも自分の犬をもっとよく見るようになった。

『何もしない』の著者ジェニー・オデルは、バードウォッチングに熱中することで無為への嫌悪を克服した経験について書いている。[8] 彼女が周囲の空を飛ぶ鳥に注意を傾けるようになるにつれ、友人の多くも鳥に目を向けるようになったのに気づいた。

「注意力について知ったことの1つは、ある種の注意力には伝染性があるということだ」と彼女は言う。「何かにたっぷり注意力を向ける人とともに十分な時間を過ごすと（私とともに過ごすなら、その対象は鳥だろう）、自分も必ず同じものに注意を向け始める」

デバイスの地位を下げれば世俗的な病がすべて治るとか、悟りの境地に達してスマホ中毒への警告とともに輪ゴムを配り歩く教祖になれるなどと言いたいわけではない。ただ私の場合、注意力を取り戻してスマホとの関係を改めることによって、実体のある真の効果が得られた。30日間のデトックスを振り返ると、それは私が未来に備えるための第一歩として不可欠なものだった。

何はともあれ、スマホやソーシャルメディアアプリに長所があるのは確かだ。しかし私たちの認知的な弱点を利用して、もっとたくさんの投稿をクリックさせ、もっと多くの動画を視聴させ、もっとたくさんのターゲット広告を見させることによって、人から何かをごっそり奪い取るツールでもあるのだ。これを助けているのがＡＩで、ＡＩのおかげでそれらのツールはさらに正確に私たちの好みを予想し、注意力を操作し、まばゆく刺激的な報酬で私たちの脳の快楽中枢を活性化することができる。私たちが絶えず刺激にさらされている状況を可能にすることで、それらのツールは私たちから退屈する機会や、ぼんやりする機会、アイデアを交換する機会、空想にふける機会を奪う。つまり人間らしさの中心に位置し、それがなければロボットと変わらないような、そんな経験を奪い取るのだ。

それから数週間後、私は『ニューヨーク・タイムズ』でスマホデトックスの体験を記したコラムを発表した。そして自分の経験がじつは特別ではないことを知った。何百万人もの読者がコラムを読んでくれて、私がこれまでに書いた記事のなかで断トツの人気を集めた。キャサリンと私はテレビ番組の『トゥデイ』に呼ばれ、司会のキャシー・リー・ギフォードとホダ・コットにスマホから距離を置く方法を教えた。読者から彼ら自身のスマホ中毒をめぐる物語をつづったメールやメッセージが何百通も届いた。

ある読者は、こんなふうに書いてきた。「先日の記事、ありがとうございました。読みながら、自分もスマホ中毒だと気づきました。なにしろ出かけようと部屋のドアを開ける直前にスマホを見て、それから5秒後に階段を降りて玄関に鍵を掛けたらまた見て、車へ向から6秒のあいだにも見て、車に乗ったとたんにまた見るのです。1日でいったい何回スマホをチェックするのか、とうてい数えきれません」

別の読者は、こんなふうに書いてきた。「私はアイルランド在住で、子どもや保護者にオンラインでの安全について指導しています。保護者はみな、自分の子どものネット利用を監視するにはどのソフトウェアをインストールすればよいか知りたがります。しかし大事なのは、記事で指摘されていたように、子どもがオンラインで何をしているかではなく、オフラインで何をしていないかです。子どもたちが厚い本を読めず、映画を最後まで見ることもできず、30秒以上は何に対しても集中できないということがとても心配です。もっとたくさんの保護者にそのことを気にかけてほしいと思います」

しかし私がもらった感想でずば抜けてうれしかったのは、妻がくれたものだった。彼女は私のスマホ使用が手に負えなくなっていくのを何年間も見てきたが、それも私の基本的な性格の一部なのだとしぶしぶ受け入れていた。ところが私がスマホデトックスを始めると、家で過ごすときの私の行動が変わっていくのに彼女は気づいた。私たちは映画に行き、一緒に陶芸教室に参加し、実りのある会話をたっぷりするようになった。私は以前よりもたくさん質問し、もっと注意を傾け、たくさん笑っていた。

ある晩、カウチで一緒にテレビを見ていたら、彼女が私のスマホを探して辺りを見回した。まるで番組の合間に私がスマホに手を伸ばすと思っているようだった。

今夜はスマホはしまったよと私が言うと、妻は笑顔を浮かべた。

「あなたを取り戻したような気がする」と彼女は言った。

ルール4

痕跡を残す

人間は道具のような精密さで働くようにできていないし、何をするにしても正確で完璧であるようにはできていない。
人間にそのような正確さを求め、
彼らの指に歯車のように角度を測らせ、
腕にコンパスのように曲線を
描かせようとすれば、
人間から人間らしさを奪うことになる。

——ジョン・ラスキン

河合満は、パニックを起こしてもしかたがない状況だった[1]。
1966年、河合は愛知県にあるトヨタ自動車の工場で働く18歳の若手工員だった。その前の3年間は、トヨタの技能者養成所で「神様」のもとで修業をしていた。「神様」というのは、トヨタで自動車のすべての部品を手で作るやり方を知っている熟練工員を指す言葉だ。河合はいつか自分も神様のようになりたいと願い、トヨタの工場の鍛造部に就職した。ここでなら毎日、真っ赤に焼けた金属棒を加熱炉から取り出して金敷に置き、丁寧にハンマーで叩いてクランクシャフトを成形する練習ができた。

自動車製造は中流階級の手堅い仕事だったが、だんだんと存続の危機にある様相を強めていた。その数年前、当時世界最大の自動車メーカーだったゼネラルモーターズが、世界初の産業ロボットを導入した。重さ1・8トンでアームが1本搭載された「ユニメート」という巨大なロボットだった。ユニメートはポップカルチャーにセンセーションを巻き起こした。ジョニー・カーソンが司会を務める『ザ・トゥナイト・ショー』に出演し、ゴルフボールをパットしたりグラスにビールを注いだり、はたまた番組のバンドを指揮したりと、プログラムされたさまざまな技を披露して視聴者を感嘆させた。さらに世界中の自動車会社の幹部の目に留まった。そのなかにはトヨタの幹部もいて、生産のスピードアップとコスト削減の可能性を見て取った（このロボットがやらない事柄もおそらく魅力的だっただろう。ユニメートのテレビコマーシャルは「文句を言いません。昇進を求めません。昇給も要りません」とうたっていた)。

河合満の先見性

こんな新しい高性能のロボットに直面し、トヨタの工場で働く河合と同僚たちは厳しい選択を迫られた。専門家や労働組合幹部の多くは、自動車業界をはじめとするあらゆる業界のブルーカラー労働者を待ち受けているのは暗い未来だと予想していた。1961年には「自動化による失業」の増加を予想する記事が『タイム』誌に掲載された[2]。工場の自動化を「すべての工場のすべての労働者を怖がらせるお化け」と評する記事を掲載した雑誌もあった[3]。

しかし河合はお化けにおびえず、パニックに陥ることもなく、もっと安泰な業界で職探しを始めもしなかった。『ジャパンタイムズ』に掲載された紹介記事によれば、彼は「ものづくり」の技術を改善しようと決めた。トヨタでは「ものづくり」という言葉は自動車製造にかかわるすべての専門的な熟練作業を指していた。河合は可能な限り最良の技能工になることを目指し、それに専念することで、ロボットが自分の仕事を習得してもなお自分は付加価値をもたらせる存在でいたいと考えた。

それから数年間、河合は自動車製造に関する細かく微妙な点をとらえる第六感を磨いた。調子の悪い機械があれば、それの放つ音とにおいだけで不具合の原因がわかった。溶融した鉄の示す赤の色合いを見れば、その温度が推測できた。特に得意だったのは、人間がロボットよりうまくできる仕事を見つけることだった。たとえばあるとき、トヨタ車の車台に欠陥があるのに気づいた。大きな金属部品を溶接するのに使っていたロボットの技術的な限界が原因だった。熟練した溶接工のほうがうまくできるということが河合にはわかっていた。そこで上司と談判してこの工程を自動化から外し、以前のように人の手で作業させたところ、しっかりした車台が作れるようになり、顧客の満足度も上がった。

そのころ多くの自動車製造労働者は、新たなライバルであるロボットに仕事で勝とうとするか、あるいは真っ向から反発していた。そんななかで、ものづくりにこだわる河合は変わり者だった。自動化に反対しているわけではなかった。しかし、工場のロボットは周囲で指導してくれる熟練した人間がいなければ役に立たない、と河合は考えていた。そのような人間がそばで作業し、巨額の損失につながる不具合が起きる前に不備を見つけ出す必要がある。

「同じ作業をただ何度も繰り返す機械に頼るだけではだめなのです」と彼はある記者に語った。「機械の支配者となるには、機械に教えてやれる知識と技能を備えている必要があります」

20世紀終盤から21世紀初頭にかけて、トヨタの工場では自動化がさらに進み、人間としての技能にこだわろうという河合の決意は実を結び続けた。何度も昇進し、彼の抱いたものづくりの理念は、自らの仕事に誇りをもち、ただのロボット操作者にはなりたくないと願うトヨタのブルーカラー労働者にとって、ある種のスローガンとなった。熟練工のほうがすぐれた車を無駄なく作ることが多く、近年では河合のリーダーシップのもとでトヨタは製造ラインの多くを脱自動化し、一度はロボットにまかせた仕事に人間を呼び戻すことによって、自動化の流れに逆らっている。

今や河合はトヨタの伝説的存在だ。[4] 工員は彼を「おやじ」と呼ぶ。80年におよぶトヨタの歴史の中で、技能者養成所から役員まで上り詰めた社員は彼だけで、大学を出ていない幹部もほとんどいない。2020年、トヨタは河合を初代チーフものづくりオフィサーに任命した。この肩書きは、彼が数十年にわたってトヨタの社員のために献身的に働いてきたことと、高度なロボット工学の時代でも人間の技能が大きな力をもつという揺るがぬ信念を反映していた。

ハッスルを呼びかける文化

河合満が1966年に18歳の自動車製造労働者として直面した状況は、何億人という高学歴のホワイトカラー知識労働者が今まさに直面している状況とほぼ同じだ。私たちは当然ながら、ロボットに職を奪われて時代遅れの存在になることを危惧している。また、打ち負かされることのない強みを与えてくれるものを探し求めている。

もちろん、勤勉によって抜きん出るというのも1つの手だ。近年、この戦略はいわゆる「ハッスル文化」の出現とともに広まってきている。ソーシャルメディアのいたるところで、インフルエンサーやビジネス界の大物が生産性やたゆまぬ努力の価値を説いている。彼らはTwitterやLinkedInやInstagramに「休まず働け」とか「喜べ、また月曜日だ！」などのフレーズを添えてやる気をかき立てる「ハッスルポルノ」とでも呼ぶべき投稿をする。ライフハックのアドバイスをやりとりし、毎日同じ服を着たり毎食同じものを食べたりすることで無駄に頭を使う負担を省く。

ハッスル文化には長い歴史がある。19世紀の終わりから20世紀の初めにかけて、元鉄鋼労働者のフレデリック・ウィンズロー・テイラーが「科学的管理法」の理論を考案すると、これがアメリカの産業界を席巻した。[5] テイラーの考えでは、たいていの仕事は標準化された定量化可能なタスクに分解でき、非効率を解消してミリ秒でも無駄な時間があればそれを削ぎ落すことによって、やがてそれらのタスクを完璧なものにすることができる。究極的に、生産性の向上はウィン・ウィンにつながる、とテイラーは考えた。企業は生産高を増やすことができ、労働者は最高のパフォーマンスで働くという満足感が得られるからだ。

フレデリック・ウィンズロー・テイラーの現代版といえば、おそらくゲイリー・ベイナチャックだろう。[6] マーケティング業界の大物で、ソーシャルメディアのインフルエンサーでもあり、数百万人のフォロワーたちにもっとハッスルせよと駆り立てることで大儲けしている（2018年のYouTube動画では「働ける限り1分たりとも無駄にしないで働け」と言い放っている）。さらに、彼に匹敵する者はたくさんいる。テスラとスペースXを創業したイーロン・マスクは力尽きるまで働きまくることで知られていて、製造サイクルが厳しいときにはテスラの工場の床で寝ることさえあるという（「週40時間労働で世界を変えた人間はいない」とツイートしている）。[7] ヤフー！の元CEOマリッサ・メイヤーは、2016年のインタビューで自分の猛烈な働きぶりを得意げに語り、1週間に130時間働くことも理論上は可能だと言った。「いつ寝て、いつシャワーを浴びて、どのくらいの頻度でトイレに行くか、戦略を十分に練る必要はありますが」[8]

トップダウンで実行されることの多かったテイラーの科学的管理法とは違い、ハッスル文化は通常、自らの意思で実践される。これはジャーナリストのデレク・トンプソンが「ワーキズム」と呼んだ理念から生まれたものだ。これは、仕事とは単に経済的な必要に迫られてするものではなく、アイデンティティーや生きる意味をもたらす最大の源だとする考え方で、特にミレニアム世代でバリバリのやり手のあいだで信奉されている。[9]

ハッスル文化を拒絶すべき理由はたくさんある。働く人の心身の健康に明らかなリスクをもたらす。若くて子どものいない壮健な男性が優遇される傾向がある。というのは、このような人たちは家族を養う責任を負うことが少なく、極端な長時間労働ができる場合が多いからだ。そのため、時代に逆行する苛酷な資本主義的規範が強化され、職場をもっと公平で人間らしいものにしようとする取り組みを阻害しかねない。

ただし私が指摘したいのは、ハッスル文化に伴うもっと直接的な問題だ。ＡＩと自動化の時代、ハッスルはむしろ非生産的なのだ。どれほどがんばっても、アルゴリズムの働きぶりに勝つことはできない。アルゴリズムとの勝負に挑めば、ただ負けるだけでなく、その過程で人間ならではの強みまで犠牲にすることになる。

機械との競争に勝てるという考えは魅惑的な空想で、古くはジョン・ヘンリーと蒸気機関をめぐる伝説にまでさかのぼる。しかし現代の強力なテクノロジーの多くは壮大なスケールで膨大な計算能力に支えられて機能しているので、人間が真っ向から勝負を挑むというのは考えるだけでも無理なのだ。たとえば何十億もあるウェブサイトから情報を検索する「競争」で人間の司書がGoogleを相手に戦うことに、どんな意味があるだろう。毎秒何百万件もの取引を分析できる高頻度取引アルゴリズムを相手にして、株式トレーダーが「競争」するのはどうだろう。さらに言えば、そもそもそんなことをしたいと思う理由があるだろうか。

私たちは全力で働いて安全を目指すのではなく、河合満のように機械と同じ土俵で競争するのを拒み、自分の作り出しているものに自分なりの明らかに人間らしい痕跡を残すことに力を注ぐべきだ。人を傑出させるのは、どれほど激しく働くかではなく、最終的な成果に自分らしさがどれほど現れるかである。このことを理解すれば、どんな仕事に就いているにせよ、週に何時間働くにせよ、私たちは自分なりのものづくりを実践することができるはずだ。

要するに、猛然と働く必要はない。大事なのは、自分らしさの痕跡を残すことだ。

私たちは人の痕跡に価値を見出す

数年前、当時FacebookのＡＩリサーチの所長だったヤン・ルカンは、自分らしさの痕跡の価値に関する自身の見解を表明した[10]。

ルカンは「深層学習のゴッドファーザー」と呼ばれる研究者の１人で、一般ユーザー向けインターネットの大部分を支えるＡＩ技術である深層ニューラルネットワークの用途を開拓した、数少ない先駆者の１人でもある。彼はＭＩＴの会合で講演をしていた。１時間近くにわたって、敵対的訓練、スカラー報酬、多層畳み込みネットワークなど、予想にたがわず難解で専門的なテーマについて語った。

講演が終わりに近づいたころ、ルカンはＡＩと機械学習の技術が雇用市場に与える影響について、思いがけない予想を示した。自身がテクノロジストであるにもかかわらず、将来の経済で優位に立つ可能性が最も高いのは、プログラマーやデータサイエンティストではなく、アーティストや職人だと言ったのだ。

論点を明確にするため、彼は写真が2枚載ったスライドを映した。写真の1枚はAmazonで47ドルで売られているブルーレイDVDプレイヤー、もう1枚は750ドルで売られている手作りの陶器のボウルだった。両者の複雑さの違いは明らかです、とルカンは言った。ブルーレイプレイヤーは最先端の工場でロボットが何百個もの部品を組み立てて作った高度なテクノロジーの産物であるのに対し、ボウルは数千年前に生まれた技術を用いて粘土をろくろの上で成形したシンプルなアイテムだ。ところが、ボウルはDVDプレイヤーの20倍近い値段で売られている。

ボウルには「真の人間の手が加わり、真の人間の経験が込められているのです」とルカンは聴衆に説明した。そして将来には「私たちはそうしたものにさらなる価値を認め、ロボットが作る物質的なものには低い価値しか認めなくなっていきます」と予想した。

私はたくさんの著名なAI専門家やエコノミストからルカンと同じような予想を聞いたことがある。このたぐいのテーマに関する専門家の予想には疑念を抱くこともあるが、ルカンの予想は信じていいと思った。

それはなぜか。周囲を見回せばわかるはずだ。私たちの経済は、大量生産の消費財であふれている。フラットスクリーンのテレビ、食器洗い機、ジャグジーなど、かつてはステータスシンボルとして機能していたが、今では価格が下がり入手しやすくなったものだけだ。近ごろではむしろ、生産するのにテクノロジーの関与がいかに「少ない」かが消費財の贅沢さを測る指標となっている。手作りの家具、オーダーメイドの服、壁にかかった特別注文の絵画――こうしたものを買うことがステータスの高さを表す。その理由は、これらが人の手による作業を大量に必要とするからにほかならない。

社会学ではこれを「努力ヒューリスティック」と呼ぶ。[11] 消費者心理学ではこれが広範に検証されている。心理学者でノースウェスタン大学ケロッグ経営大学院の教授アダム・ウェイツは、著書『人間の力』（*The Power of Human*）において、人は明らかに人間の努力が背後に込められた物や経験を大いに好むということを示す研究を列挙したリストをたどっている。[12] それらの物や経験が機械の生産したものとまったく同じであってもなお、人の手の加わっているほうが好まれるという。

ノースカロライナ大学の心理学教授のカート・グレイが率いたそうした実験の1つにおいて、2群の参加者にまったく同じキャンディーの入った袋が渡された。[13] キャンディーはすべてランダムに選ばれていたが、一方の群にはキャンディーが人の手で参加者のために選ばれたと伝えた。この群の参加者は、キャンディーがランダムに選ばれたと聞かされた他方の群の参加者よりもキャンディーの味を高く評価した。グレイによる別の実験では、参加者に電動マッサージ椅子でマッサージを受けさせた。参加者は、誰かが椅子のスイッチボタンを押して始動させたと言われたときのほうが、快感を強く覚えたと報告した。

地ビール工房や地産地消レストラン、ハンドメイド品を扱うEtsyのサイトが人気を集めていることについても、努力ヒューリスティックで多くが説明できる。[14] 音楽のストリーミングサービスや電子書籍が広く普及してもなお、ビニール盤のレコードや紙の本が支持を失っていない理由も説明できる。自宅や職場で完璧においしいコーヒーを淹れられる機械を私たちの多くが所有しているにもかかわらず、高級志向のカフェがカプチーノ1杯に7ドルの値段をつけられる理由も説明できる。

逆も真であり、その理由も努力ヒューリスティックで説明できる。私たちは何かの背後に存在する人の努力が隠されたり消されたりすると、そのものの価値をしばしば低く評価する。このことを示す例で私が気に入っているのは、Facebookの誕生日だ。Facebookのサービスが始まった当初、誕生日にお祝いのメッセージを受け取るのは本当に特別なことだった。[15] 友人が自分のことを思ってくれていて、誕生日を思い出す程度にこちらを気にかけ、プロフィールを閲覧して、こちらがうれしくなるような言葉を考えてFacebookのウォールに書いてくれたことを意味したからだ。しかし何年か経つうちに、Facebookはサービスをもっと利用してもらうために、誕生日のメッセージを可能な限り簡単で手間のかからないものにした。ユーザーは友人の誕生日を自分のカレンダーアプリにエクスポートし、ニユースフィードの目立つ場所にそれを表示させ、さらにはワンクリックで投稿できる既成のバースデーメッセージを自動生成できるようになった。

その結果、Facebookのバースデーメッセージは親密さを伝える特別な価値を失っただけでなく、むしろ親密さとは反比例するようになった。Facebookのプロフィールに「誕生日おめでとう！」と書いてくれる人はみな、アプリに言われてそうしているだけで、もっとオリジナリティーのあるメッセージを送るほどにこちらを気にかけてはいない、ということをユーザーは知っている。誕生日を祝うときの努力を削減することで、Facebookは人を思いやる言葉を軽い侮辱へと変えてしまったのだ。

可視化や手書きによる大きなメリット

何かの背後にある人の努力が明白なほど価値が高いと見なす「痕跡の原理」を理解することは、将来への備えとして重大な意味をもつ。

その理由について、現実を直視しよう。ＡＩと自動化はさまざまな物事を「とても」簡単にすることを私たちは知っている。荷物を扱ったり、売上予想を作成したり、A地点からB地点まで車を走らせたりする場合、あるいはそれ以外にもさまざまな仕事で、これまでは人の労力をたくさん必要としていたのが、ＡＩや自動化によって人の労力はほとんど要らなくなるか、場合によってはまったく不要になるだろう。今、これらの仕事で給料をもらっている人たちは、創造性を発揮して、自分の貢献の価値をもっと明白に示す方法を見つけなくてはならない。

念のために言っておくが、自分らしさの痕跡を残すというのは、なるべくたくさんの仕事について自慢したり手柄を自分のものにしたりするだけではない。また、生産性を誇示することばかりを目指すハッスル文化とも違う。ハッスルは働き方の猛烈さを重視するが、痕跡を残すという場合は、働き方の「人間らしさ」が重視される。

痕跡を残すとは、見えない労働を可視化するという単純な問題であることが多い。たとえばデザイナーにとってそれが意味するのは、クライアントに自らの創造のプロセスを順を追って示し、スケッチのひとつひとつにどれほどたくさんの労力と技能が注ぎ込まれているかを理解してもらうことかもしれない。ソフトウェアエンジニアにとっては、専門家でない企業役員にわかりやすい言葉で自分のしている仕事を説明することかもしれない。

場合によっては、必要性はなくても非常に喜んでもらえる心遣いが大きな意味をもつこともある。保険会社の外交員にとっては、火災で家を失ったばかりの顧客や自動車事故に巻き込まれた顧客にお見舞いのカードを送ることが大事かもしれない。小売店で働く人なら、店の常連客と顔なじみになり、次に来店してくれたときに喜んでもらえそうな特別な品物を取り置きすることがよい結果につながるかもしれない。

私にとって痕跡を残すというのは、記事を書き始める際に、どうしたら自分らしさを刻みつけ、どんな記者にでも（あるいはどんなＡＩソフトウェアにでも）書けそうなありふれた記事から一線を画するにはどうしたらよいかと考えることを意味する。そのために、テクノロジーに関する無味乾燥な解説記事にジョークを交えてメリハリをつけたり、主観を排した「どこからでもない視点」の姿勢を避けて自分自身の経験について一人称で書いたりするかもしれない。

ほんの少しの人間らしさが大きな意味をもつ、インパクトの強い行為にも、私は大いに気を配っている。出版社が私の新刊の献本を送ってくれたら、私は必ず手書きの手紙を添えて人に渡す。時間を割いて読んでくれることに感謝の気持ちを伝えるためだ。大きなグループプロジェクトが完了したら、力を貸してくれた仲間にお礼として、手作りのクッキーやちょっとしたプレゼントを渡すことが多い。年1回の自己評価書を作成するときには、自分が精巧なオートマトンではなく生身の人間であることを上司に知ってもらうために、自分の考えや性格を織り込むようにしている。

こんなことは、斬新ではなく革命的でもない。それどころか、人間らしくふるまうことをわざわざ意識しなくてはならない自分を残念だと思う。だが、意識的な努力は不可欠だし、特に暮らしの中にあるテクノロジーの多くが物事を簡単にするように設計されているとなればなおさらだ。多くの人たちと同じように、私も長年にわたってハッスル文化にありがちな完璧主義的な傾向を身につけてきた。成功へのカギは、自分がスポーツカーかスピードボートであるかのごとく自らのパフォーマンスを最適化することにあると、私たちはハッスル文化に教え込まれているのだ。労働を消し去るテクノロジーが全盛の時代に、しばしばかっこ悪く完璧には程遠い、「私はがんばったよ」というメッセージを伝える行為にこそ最も意味があるということを、私は思い出す必要があった。

企業レベルでは何ができるのか

企業も痕跡を残すための戦略を考える必要がある。

ビジネススクール教授のB・ジョセフ・パイン2世とジェイムズ・H・ギルモアは、共著した『経験経済』において、一部の企業がたどる「経済的価値の変化」の道筋について記している。[16]この道筋は「コモディティー」の販売からスタートし、やがて「商品」を売り始め、次に「サービス」の提供へ移行し、最終的には「経験」のデザインに行き着く。「商品とサービスという先細りの世界に陥った企業は、もはや重要視されない」と彼らは言う。「そんな運命を避けるには、人を引きつける豊かな経験を演出する方法を学ぶ必要がある」

論点を説明するため、2人はコーヒーの例を用いる。卸売店で買えばとても安く買えて、スーパーマーケットに行けばやや安く買えて、スターバックスでは4ドル前後で買えるが、イタリアの高級カフェでは10ドルもする。どこで買うにしても、お金とコーヒーを交換する。しかし客がお金を払う対象には、じつは違いがある。卸売店では、コーヒー豆のためにお金を払う。スーパーマーケットでは、コーヒー豆と包装のために支払う。スターバックスでは、コーヒー豆と包装とサービスのために支払う。そしてイタリアの高級カフェでは、コーヒー豆と包装とサービスに加えて、イタリアでイタリア人に囲まれて、さらにもしかするとカフェマキアートの微妙なフレーバーについて説明できるチャーミングなバリスタが用意してくれたコーヒーを飲むという経験に対してもお金を払っているのだ。

自動化が進んでも、コーヒーを売る卸売店やスーパーマーケットやスターバックスへの需要が消え去ることはない。だが、自動化が進めばこれらの業態は脆弱になり、競争に巻き込まれやすくなる。その一方で、真似するのが難しく、機械にプログラムするのも難しい「経験」を売る企業には、自動化は競争力をもたらす。

数年前、家電量販店のベスト・バイは必要に迫られてこの教訓を学んだ[17]。

大規模小売店のご多分に漏れず、ベスト・バイもAmazonをはじめとするオンライン小売業者との競争に苦戦していた。テレビなどの高額商品の売り上げは落ち込み、以前は客足を引きつけていた新作のCDやDVDなどの多くは時代遅れになりつつあった。客が「下見」のためだけに来店することが増えてきた。つまり店頭で商品を見て、オンラインでもっと安く購入するのだ。社の株価は暴落し、店舗の閉鎖や従業員の解雇を余儀なくされ、投資家は破滅の気配を感じ取った。

2012年、ユベール・ジョリーがCEOに就任した。快活な訛りのあるフランス人で、以前は経営コンサルタントだった彼は、ベスト・バイが生き残れる道はただ1つ、Amazonと同じ土俵で競争するのではなく、新たな強みを見つけることだと考えていた。2017年に私が取材したときに話してくれたのだが、彼は「テクノロジー製品を買うことがただのコモディティーゲームならば、われわれに勝ち目はない」と気づいたそうだ。

そこで彼はチームとともに、実店舗で人と人との触れ合いを大切にする企業へと、ベスト・バイを転換させる戦略を考えた。オンライン小売業者（およびそうした業者のもつロボットだらけで整然として高度に最適化された倉庫）がとうていかなわない、きわめて人間的な経験を提供する企業を目指したのだ。店員の研修の拡充に投資し、ベスト・バイの研修済みのエキスパート店員に客が個別相談できる「訪問アドバイザー」プログラムを開始した。このプログラムでは、エキスパート店員が客の自宅を訪ねて、リビングルームにぴったりな大画面テレビを選ぶのを手伝ったり、テラスで使うのに最も音響のよいステレオシステムを考えたりする。プログラムが2017年にスタートすると、たちまち大好評を博した。熱心な常連客がプログラムを支持する核となり、ただの大型店ではなく自分専用のテクノロジーコンシェルジュのような存在としてベスト・バイをとらえ始めた。

「弊社がしているのは、単に製品を販売することではありません。お客様のニーズをテクノロジーによるソリューションと結びつけているのです」とジョリーは語った。「ですから、そうしたお客様のニーズにしっかりと目を向けています」

ジョリーによる人間重視の戦略のおかげで、ベスト・バイは勢いを取り戻した。売り上げは急激に伸び、顧客は店舗を下見のために利用するのをやめた。数年のうちに、株価は史上最高値の記録を更新し、従業員は喜び、株主は満足した。ジョリーは２０１９年にベスト・バイのＣＥＯを退任したが、そのときにはヒーローとして送り出された。

痕跡を残す戦略の成功例として、これよりはるかに小規模なものもある。カリフォルニア州サウサリートにある創業70年の伝統をもつ陶芸工房、ヒース・セラミクスだ。[18]

２００３年、現オーナーのキャサリン・ベイリーとロビン・ペトラビックが当初のオーナーから買収したとき、ヒースにはいささか問題があった。扱っている陶器にはカリフォルニアの審美家のあいだでカルト的なファンがいて、顧客には建築家のフランク・ロイド・ライトや、シェ・パニースを創業したアリス・ウォーターズなどもいたが、過去の遺物のような会社となって資金を失い続けていた。当時、小さな陶芸工房の廃業が相次ぎ、外国の工場で大量生産された安価な陶器が業界を支配していた。

ベイリーとペトラビックは、価格や取扱量では外国のメーカーに太刀打ちできないと、正しい判断をした。しかし人間らしさで勝負するなら、戦うことができるかもしれない。

そこで彼らは思いきった再建計画に乗り出した。その計画には、ふつうのコスト削減コンサルタントなら勧めないような、さまざまな手立てが盛り込まれていた。投資の申し出を断り、製造拠点を外国へ移さず、地元での製造にこだわった。主たる製造施設をサンフランシスコのミッション地区にあるもっと高価な建物に移し、工場見学を始めて、ボウルやマグカップやタイルの製造工程を客が見られるようにした。ベテラン陶芸家がユニークなデザインを生み出せる実験室のようなヒース粘土工房や、世界中から集めた数百冊の稀少な雑誌を販売するヒース・ニューススタンドを開設した。さらに、サンフランシスコに設けた工房の隣に、工芸家の集う市場のようなヒース・コラボラティブもオープンし、宝飾職人、織物作家、パン職人などが店を開く場とした。

ベイリーとペトラビックは自分たちの施設を人間らしいものにしていくとともに、ヒースのセラミック製品自体にも人間らしさを加える実験をした。たとえば特定の花瓶に釉薬（うわぐすり）をかけた従業員が誰かわかるように、個人別の刻印を取り入れた。これらの取り組みの目的は、自分たちの仕事を示し、機械ではなく生身の人間が品物を作っているという事実を客にアピールすることだった。この戦略は成功したようだ。2003年以来、ヒースは見事な復活を遂げている。従業員は200人を超え、年間売上は3000万ドルに達し、昨年には2003年の買収以来初めて負債ゼロを達成した。

ベスト・バイのユベール・ジョリーと同様、ベイリーとペトラビックは世界で最もテクノロジーに精通した起業家だったわけではない。最先端のＡＩなどもっていなかったし、高給のプログラマーや、あらゆる工程からミリ秒レベルで無駄を削ぎ落すロジスティクス専門家の集団を擁していたわけでもない。だが、競争について正しい判断をして、自分たちのもつ人間らしさを消し去るのではなく強調することで、抜きん出た存在となるにはどうしたらよいかを理解していた。60年近く前に河合満がトヨタの工場で考えたのと同じ策を編み出したことによって、彼らは成功を収めた。最大の競争相手が機械ならば、やみくもながんばりよりも人間らしさのほうが価値があるということに気づいたのだ。

ルール5

エンドポイントにならない

今のところ、私たちは必要とされていると感じます。でも、もっと安上がりな方法が見つかれば、私たちは追い出されてしまうでしょう。[1]

――バーリーサ・レナード
コールセンター従業員

2018年5月8日、Google CEOのサンダー・ピチャイは発表会で登壇し、同社が誇るAIリサーチが開発している最新製品のデモンストレーションを行なって、見た者に衝撃を与えた。

その製品とは、デュープレックスというＡＩ音声アシスタントだ。[2] 美容院やレストランの予約を取るなどのタスクが電話でできる。デモンストレーションとして、ピチャイはデュープレックスが最近、美容院に電話したときの録音を聴衆に聞かせた。

「もしもし、いかがいたしますか」と受付係が尋ねる。

するとデュープレックスが答える。「クライアントの女性のためにカットの予約をしたいのですが。5月3日はどうですか」

「何時をご希望ですか」と受付係が尋ねる。

「12時です」とデュープレックスが答える。

「12時は空きがございません。それに一番近いのは1時15分です」と受付係が言う。

「午前10時と、ええと、12時のあいだはどうですか」とデュープレックスが尋ねる。

「ご希望のサービスによってですね。お客様は何をご希望ですか」と受付係が言う。

「とりあえずカットだけです」とデュープレックスが答える。

ここからのやりとりは、完璧に自然だった。デュープレックスは口ごもったり混乱したりせず、ときには「うーん」とか「ええと」といった言葉を交えて会話をいっそうリアルにした。電話の相手は、自分がＡＩと話していることに最後まで気づかなかった。

通話が終わると、聴衆から拍手喝采が沸き起こった。自宅でこのデモンストレーションを見ていた私は、口をぽかんと開けていた。驚嘆と恐怖に満ちたオタクたちが続々とコメントを出すのを見ていたら、ある反応が目に留まった。Googleの元デザイナー、クリス・メッシーナがツイートしていた。

「Googleのデュープレックスは、今年の発表会でこれまでのところ一番すごくて一番恐ろしい……紹介された事例では、Googleアシスタントが美容院に予約の電話を入れるが、予約を受け付ける人間は自分がAIと話していることに気づいていなかった。人間はまもなく金のかかるAPIエンドポイントになるだろう」[3]

私は今でもこのメッシーナのツイートのことを考え続けている。特に「人間はまもなく金のかかるAPIエンドポイントになるだろう」という最後の一文が心から離れない。

プログラミングの領域で「エンドポイント」というのは、プログラムがAPI（アプリケーションプログラミングインターフェース）を介して別のプログラムと互いにやりとりできるようにする特殊なウェブアドレスを指す。情報をあるアプリから別のアプリに移動させたい場合、たとえばマッチングアプリのTinderでユーザーがInstagramから写真をアップロードできるようにしたい場合、Tinder はInstagramのAPIの写真エンドポイントに許可を求めるコードを書く必要がある。

コード作成者の言い回しを翻訳すれば、メッシーナが言っていたのは、Googleのデモンストレーションに登場した人間の受付係はデュープレックスと美容院の予約カレンダーという2つのソフトウェアをつなぐ連結点の役割を果たしていて、2つの機械が現時点ではまだ直接互いにやりとりすることができないのでこの受付係が必要となる、ということだ。

このツイートに私は打ちのめされた。というのは、これを見てから私は人間がエンドポイントとなっていることに気づかずにはいられなかったからだ。機械から指示を受けたり、互換性のない複数の機械をつなぐ橋の役割を果したりすることを主な仕事とする人たちは、要するにエンドポイントなのだ。

オフィスビルの警備員が来訪者をビルのセキュリティーシステムに登録し、ボタンを押して回転ゲートを通過させるのを見ると、私は「エンドポイントだ」と思った。

定期健診でクリニックに行き、看護師が医療機器の数値を読み取ったり、私の電子カルテが入っているiPadに機器を接続したりするのを見ると、やはり私は「エンドポイントだ」と思った。

スターバックスのバリスタがスマホから受けた注文の品をPostmates（ポストメイツ）の配達員に渡す（つまり、あるアプリの指示に従う人間が、別のアプリの指示に従う別の人間に製品を渡す）のを見ると、私は「エンドポイントが2つだ」と思った。

正直に言えば、私自身もあるウェブサイトで起きたことについて記事を書き、それを別のウェブサイトに投稿し、さらに別のウェブサイトでその記事を宣伝することがあった。そんなとき私は「うん、自分もある種のエンドポイントだな」と思った。

部分的な自動化の2カテゴリー

本書ではこれまでのところ、完全に自動化された仕事を主に見てきた。最初から最後まですべて機械でできる仕事だ。しかし、部分的にしか自動化できない仕事もたくさんあり、そのような仕事についても考える必要がある。

部分的に自動化できる仕事は、2つのカテゴリーに分けられる。

第1のカテゴリーは、「機械の支援を受ける」仕事と呼べるものだ。これは、作業の大部分について人間が指示や監督をして、機械を補助的に使用するタイプの仕事だ。機械の支援を受ける労働者の例としては、客と売り出し中の住宅を結びつける段階では自動化されたリスト作成ソフトウェアを使うが、オープンハウスには自ら客を案内し、購入の過程全体で客をリードする不動産エージェントが考えられる。

AI楽観論者が「人間中心の自動化」のようなことについて語るときには、こうした「機械の支援を受ける」仕事を一般に想定している。このタイプの仕事では、機械が労働者に置き換わるのではなく労働者を補完する。

第2のカテゴリーは、「機械に管理される」仕事と呼べる。このタイプの仕事では、仕事の指示や監督を機械がほとんど行ない、人間は機械にはまだできないことをして隙間を埋めるだけだ。顕著な例としては、Uber、Lyft、Postmatesといった企業から請け負う単発の仕事や、Amazonの倉庫作業員の仕事、FacebookやTwitterのコンテンツモデレーターなど、機械から与えられた指示の遂行を主な業務とする仕事がある。

機械に管理される仕事では、AIシステムとともに働くというよりも、システムのために働くことが求められる。Uberのドライバーは、Uberの配車アルゴリズムと「協働」はしない。これは士官学校の生徒が行進命令を出す練兵係軍曹と「協働」しないのと同じだ。この関係において、すべての権力と権限は機械にあり、人は単にいつでも簡単に交換できる部品のような存在として命令に従うだけだ。

このように機械に管理される仕事はエンドポイントであり、そんな立場にいるのはとても危険だ。というのは、機械に管理される仕事の目標は往々にして、自動化の過程にあるテクノロジーの隙間を埋めることや、自動システムに人間レベルのパフォーマンスを達成させるための訓練をすることにすぎないからだ。

実際、機械に管理される従業員を抱える組織はみな、その仕事をいずれ機械に移行したいと考えている可能性がきわめて高い。ということは、機械に管理される従業員は、世界のエンドポイントとして、大いに警戒する必要がある。ジャーナリストのマーティン・フォードが著書『ロボットの脅威』で述べているとおり、「スマートなソフトウェアシステムとともに、あるいはその指示のもとで働いている場合、本人が気づいているかどうかは別として、いずれ自分の仕事を奪うソフトウェアの訓練をしている可能性が高い」のだ。[4]

エンドポイントは専門職にも進出している

エンドポイントとなる仕事の多くは、サービス業、小売業、運輸業など、それなりに納得できる業界に存在する。だが、もっとステータスの高いホワイトカラーの専門職にも出現している。AIによって、かつては機械の支援を受ける仕事だったものが、機械に管理される仕事に変化しているためだ。

2018年に『ニューヨーカー』誌に寄稿した「医師はなぜコンピューターが嫌いなのか」という記事で、アトゥール・ガワンデは過去10年間でアメリカの病院に普及した電子カルテのソフトウェアについて論じた。[5] ソフトウェアのための記録管理業務で医師が手いっぱいとなり、患者とのやりとりがきちんとできなくなっていることが、燃え尽きや抑鬱に陥る医師の割合が上がっている一因だとしている。サンフランシスコの医師エミリー・シルバーマンも、2019年に『ニューヨーク・タイムズ』の論説で同様の見解を示している。[6] 自分の病院で採用されている電子カルテシステムのせいで、自分や同僚が機械の世話係となり、ストレスで疲弊しているという。

「未完了の仕事に対する容赦ない催促、請求書作成者のために記録を修正してほしいという依頼、それに毎日届く敵意に満ちたメッセージ、そういうものが襲いかかってくるのだ」とシルバーマンは書いている。

医師とソフトウェアとの衝突で、部分的な自動化に伴うトレードオフが完璧に説明できる。多くの点で、電子カルテはそれまで続いてきた状況を大きく改善している。適切に利用すれば、患者の安全を改善し、コストを削減し、医療過誤の発生頻度を抑えることができる。[7]だが、自分の仕事が単にデータを画面から画面へと移しているだけだと感じている医師もいる(ある研究者はこの気持ちを「テクノロジーによる夢遊病」と言い表した)。かつて医師は機械の支援を受けて働いていた。それが今はどうだろう。そう言いきれなくなってきた。

このように、賢い機械に支援してもらうのではなく、機械のせいで自分の立場が引き下げられることを労働者が恐れるのは、最近に始まったことではない。じつのところ、その典型的な一例が1970年、ゼネラルモーターズ(GM)が高度に自動化された新しい工場をオハイオ州ローズタウンにオープンしたときに見られた。

現代が生み出したまばゆい成果としてマスコミに「未来の工場」ともてはやされたローズタウンの工場では、26台のロボットがフロアを動き回っていた。[8]GMは従業員がこの未来的なパラダイスで過ごすのを喜ぶと思っていた。ところが、従業員たちは工場を嫌悪した。管理者から指示される生産割当が増えたことにストレスを覚え、一日中機械を操作させられるせいで自分たちが人間らしさを失ったように感じ、うんざりしていた。ローズタウンで働いていた従業員が、日々のルーチンについてこんなふうに語っている。[9]

仕事は何も考えずにやる。調教された猿か犬みたいに。気持ちがよどんでくる。すべてを何度も何度も何度も繰り返す。職場に行ってこの操作をすることだけが人生の目的みたいなものだ。製造ラインの流れに遅れないように何時間も働いたあとで家に帰ればもうくたくたで、自分がまったく進歩していないという気がする。まともな人間なら、自分が植物と変わらないという気分になる。

1972年、耐えかねたローズタウン工場の従業員がストの断行を決めた。ストは全国から注目を集め、新しいタイプの部分的な自動化のせいで自分の存在意義に疑念を抱く「ローズタウン症候群」が各地で話題になった。『ニューズウィーク』はローズタウンで行なわれたストを「産業界のウッドストック」と呼び、1972年には『ニューヨーク・タイムズ』の社説がGMに対し「ロボットが支配する職場でも、人間が自分の価値を感じ続けられるように配慮すべき」と求めた。

22日間のストの結果、GMは屈服した。生産目標を縮小し、従業員の休暇を増やし、ローズタウン工場の労働環境を改善する「人間性回復チーム」を創設した。[10]当時のGM社長、エドワード・コールはスピーチの中で、社は人間である従業員を機械に従属させたのは間違いだったことに気づいたと述べた[11]。

「われわれの将来の発展は、機械ではなく人にかかっている」とコールは語った。

リモートワークにご用心

エンドポイントにならないようにとりわけ注意が必要なのが、リモートワーカーだ。

COVID-19パンデミックが起きる前に書いた本書の草稿で、私はリモートワークの価値が過大に評価されていると訴えることに、1つの章をまるごと充てた。私たちが最も人間らしい最高の仕事ができるのは、ほかの人と画面ごしではなく直接顔を合わせたときだということを示す研究を紹介した。AIだらけの未来に備えるため、私たちは文字どおり「ともに」働く必要がある、と私は主張した。同僚と会い、自然に活発な議論を交わし、忙しいなかでクリエイティブなアイデアを出し合える、オフィスや作業現場で働くべきなのだ。明白な理由で、私はその章を削除した（問題を提起するのは嫌いではないが、パンデミックの最中に人でいっぱいのオフィスへ行けと言うのはちょっと度が過ぎると思った）。

今やリモートワークが定着したのは明らかで、多くのホワイトカラー労働者にとってバーチャルな共同作業が仕事の一部になるのも間違いない。2020年7月にリサーチ会社ガートナーが実施した調査では、企業幹部の82パーセントがパンデミック後も少なくとも勤務時間の一部で従業員にリモートワークを許可する予定で、半数近くがフルタイムのリモートワークを無期限で許可する予定であることがわかった。[12]

パンデミック中には、リモートワークに切り替えるのが明らかに正しい選択だった。これからも、コストの高い都市部から離れるというのは、柔軟なリモートワークの選択肢をもつ多くの労働者にとって合理的な選択であり続けるだろう。しかし私は今でも、同僚と日ごろから顔を合わせている人たちのほうが、将来的に必要となるきわめて人間的な仕事をするには有利だと思うし、そのことをはっきりと示す証拠もある。

パンデミック中、私は自宅でちゃんと仕事をするのに苦労した。私だけではない。パンデミックが続くなかで、多くの労働者はZoomの会議やSlackのスレッドを通じてクリエイティブなアイデアを生み出したり、チームの仲間意識を築いたり、新人をチームになじませたりするのに苦心し、いらだちを覚えた。さらに子どもの世話とウイルス対策に追われながら、一日中同じ画面を見つめることに疲れ果てていた。

企業役員もいらだっていた。アドビCEOのシャンタヌ・ナラヤンは、リモートワークのせいで、新たな企画を立ち上げる力が社から奪われていると不満を表明した。「新しいプロジェクトを生み出そうとしているときには、ウォータークーラーのまわりで立ち話ができるといい」と彼は言った。[13]『ウォールストリートジャーナル』のインタビューで、

Netflix CEOのリード・ヘイスティングスは、リモートワークを「悪い点しかない」と評し、自身のチームをオフィスに呼び戻す時期の見通しを訊かれると、「ワクチンが承認されたら、その24時間後」と答えた。[14]

企業役員がオフィスに戻りたがったのは当然だ。グループで仕事をする場合、オンラインで共同作業をするよりも同じ部屋にいるほうが問題を短時間で解決できることや、[15]学術論文を共同執筆する場合には物理的に近い場所にいるほうが質の高いものが書ける傾向があることが研究で明らかにされている。[16]リモートワークの環境ではチームの結束が損なわれることや、リモートで働く人のほうがオフィスで働く人よりも生産性は高いかもしれないが創造性でしばしば劣ることも判明している。[17]

もちろん、リモートワークには労働者にとって現実的なメリットもたくさんある。子どもと過ごす時間が増えるし、ストレスに満ちた通勤をしなくてすむし、障碍者は自宅のほうが働きやすいことが多い。とはいえ、これらのメリットにはトレードオフが伴う。在宅勤務では仕事と余暇との境界線があいまいになり、多くの人にとって仕事から完全に離れて休息するのが難しい。そのうえ、直接顔を合わせることで生まれる絆や指導者との関係、キャリア開発といったオフィス文化のもたらす社会的なメリットの多くが失われる。サンフランシスコ州立大学の経営学教授ジョン・サリバンが「偶然の交流」と呼ぶもの、たとえば社員食堂やコーヒーマシンに並ぶ列で社員がたまたま出会う機会などもなくなってしまう。[18] こうした出会いは、画期的な対話や思いもよらないアイデアにつながることも多いのだ。

とはいえ自動化に関して言えば、リモートワークの最大のリスクは、対面でのやりとりがないと、人間らしさを発揮するのがはるかに難しいという点だ。ある意味で、リモートワーカーはすでに半ば自動化されている。Zoom 会議では二次元の顔として認識されるし、Slackのスレッドではアバターとして現れる。多くの場合、仕事の成果は完了したタスクの数や達成した数値で測られ、もっと人間らしい細やかなやり方で組織に貢献できる機会、たとえばやる気を失った同僚を励ましたり、懇親会を企画したり、インターン生に仕事のコツを教えたり、といったことをする機会は著しく限られてしまう。

このため、リモートワーカーにとっては、やりすぎなくらいに自らの人間らしさを表現したり、存在をアピールしたりすることがさらに重要となる。リモートワーカーを雇っている組織にとっては、従業員を定期的な対面の集まりに参加させて、チームの一員としてきちんとなじませることが大事だ。

パンデミック以前から、企業はすでにリモートワーカーに社会的な結びつきを感じさせる方法を試していた。オープンソースのコラボプラットフォームのギットラブでは、リモートワーカーはビデオ会議でひたすら雑談する「バーチャルコーヒーブレイク」を計画したり、常時オープンしていてウォータークーラーのバーチャル版のような役割を果たす

Googleハングアウトの「ランダムルーム」に参加したりすることが奨励されている。[19] シアトルに本社を置くソフトウェア会社のシークでは、毎日1人の社員が仕事とは無関係のトピックを選び、ビデオで15分間のプレゼンをする「シェアリングタイム」を実施している。[20] ソフトウェアのワードプレスを提供するオートマティック社では、全社員がリモートで働いている。同社は「グランドミートアップ」という1週間の研修会を毎年開催し、700人を超す社員が昼間は共同プロジェクトに取り組み、夜は外出して親睦を深める。[21]

これらはリモートワーカーの仲間意識を強めるのに有効な手立てとなる。それでもなお、職場での社会的活動に真に代わるものではない。そこで、フルタイムのリモートワーカーは毎日の行動に社会的な交流を意図的に取り入れるべきだ。近所のレストランでほかのリモートワーカーと会食してもいい。仕事から完全に切り離されたグループメッセージを同僚と始めてもいい。バーチャルの持ち寄りパーティーを開いたり、プレゼント交換をしたりするのもいいだろう。人間らしさを発揮でき、ロボットと間違えようのない状況に身を置くのだ。

エンドポイントにならないための方法

私と同じように、エンドポイントとしてふるまう必要がさほどない仕事に就いている人は、とても幸運だと考えてほしい。ただし、その幸運に安住してはだめだ。自分の働く領域の動向を常に意識しよう。自分の役割をもっと機械に管理されるものへと変えそうなテクノロジーや、自分の仕事の人間らしい部分から自分を遠ざけるのに使われる可能性のある新しいテクノロジーに、絶えず注意を向けていなくてはいけない。

チームの責任者や組織のリーダーは、人から人間らしさを奪うのではなく、人にもっと力を与えるテクノロジーを使うようにしよう。自動化にかかわる意思決定プロセスに従業員を参加させ、機械が彼らのためにどんなふうに役立っているか（あるいは役立っていないか）について意見を求めよう。ローズタウンで起きたことが、自分の組織でも起こり得るということを忘れてはならない。きわめて高い生産性を誇るハイテクな職場が、ロボットのように扱われることに耐えかねて目覚めた従業員たちに屈服したというあの出来事は、他人事ではないのだ。

自分は機械に管理されるエンドポイントだという人、あるいはそうなる可能性があると思う人にも、選択肢がいくつかある。

第1に、可能ならば**抜け出す**ことだ。エンドポイントの仕事は人間らしさを損ねるうえに、自動化の影響をとても受けやすい。基本的に十分なテクノロジーが到来するまでのつなぎなので、時間が経っても状況がよくなることはまずない。情報をシステムからシステムへと動かすことが主たる仕事だという人は、もっと複雑で判断力を必要とする仕事で今とは違う役割を引き受けよう。デジタル広告のバイヤーなら、チームの創造プロセスにもっと早い段階からかかわることを求めよう。営業に携わる人なら、パワーポイントのスライドを作るだけでなく戦略会議にも同席することを提案しよう。

仕事を変えることができないなら、今の仕事をもっと人間味のあるものにして、ツールをもっとコントロールさせてもらえる変更を提案しよう。すでにたくさんの労働組合が、組合員のためにそうした条項を勝ち取っている。製造業で何十年も前に始まった労働活動（たとえば1970年代のローズタウンの労働交渉は、GMに従業員主導の「人間性回復チーム」を創設させるに至った）は、ホワイトカラーの労働者によいモデルを示してくれる。

仕事の内容を変えられそうになく、機械に管理される仕事を避ける手立てもない場合（Uber やLyftのように、機械に管理される仕事を前提としたビジネスモデルで全面的に成り立っているプラットフォームで働く請負労働者であったり、仕事への変更を提案する権力や権限をもたない場合）には、逃げ出す計画を立てるしかない。

歴史から得られる明らかな教訓は、人がいつまでもエンドポイントでいられるわけではないということだ。プロセスの自動化を完了させるべきインセンティブはたくさんあり、人間をこのループから排除しようと力を尽くしているテクノロジストもたくさんいる。機械どうしがいよいよ互いに対話できる日が訪れたときに、自分の仕事はどこへ行ってしまったのかと、機械のあいだで立ち尽くしたい人はいないはずだ。

ルール6

ＡＩをチンパンジーの群れのように扱う

Facebook でビルマ語から英語への不正確な翻訳を引き起こした技術的な問題は解消しました。これは起きてはならないことであり、二度と起こらないように弊社では対策を講じています。[1]

――Facebook 広報担当者

同社の機械学習ＡＩが中国の習近平国家主席の名を「ミスター・シットホール（くその穴）」と訳した不具合に関する謝罪

朝早くに電話が鳴って、マイク・ファウラーは目が覚めた。

２０１３年のある土曜日の朝だった。オーストラリアのメルボルンで暮らすアメリカ人起業家であるファウラーは、妙な時間に仕事のメールに対応するのには慣れていた。彼が創業したソリッド・ゴールド・ボムというアパレル会社は、ノベルティーＴシャツなどの衣料品をオンラインで販売しており、どこかの顧客や従業員が何かを求めてくるというのはいつものことだった。

しかしスマホに目を落とすと、何かがおかしいと感じた。Facebookに知らない人たちからメッセージが届き、罵詈(ばり)雑言が渦巻いていた。Amazonの上層幹部から緊急のメールも届いていた。さらにはＢＢＣから取材の依頼も入っていた。

「まずい、何かが起きたらしい、という感じでした」とファウラーは私に語った。

そして事実を知って愕然とした。アルゴリズムに裏切られたのだ。

1年以上前、ファウラーは画期的なアイデアで自分の会社に革命を起こした。彼は、よそのＴシャツデザイナーがFacebookのターゲット広告を使って、人気のあるフレーズとごく限られた人を狙ったメッセージを組み合わせたＴシャツを売っているのを見かけた（読者のなかには、２０１２年から13年にこのＴシャツの広告をFacebookのフィードで見た人もいるかもしれない。「8月生まれのカブスファンを見くびるな」とか「ごめん、タミーっていうセクシーな歯科衛生士ともうデキてる」といった言葉がプリントされていた)。数百人のほんの小さな顧客集団ではなく何百万人もの顧客集団を狙って、アルゴリズムを使ってこの手のTシャツを作ったらどうだろう。こう考えたファウラーは、簡単なスクリプトを書いた。辞書から拾った単語をおなじみのキャッチフレーズに突っ込んで、それを使って自動的にTシャツのデザインを作製し、何十もの色やサイズをそろえて、すべてをAmazonで販売するところまでできるようにしたのだ。

2012年のブラックフライデーにこのTシャツ作製アルゴリズムを運用し始めると、次の月曜日までにTシャツが700枚以上売れて、ふだんの1カ月の売り上げを上回った。そこから快進撃が始まった。ファウラーのアルゴリズムはオンラインで1100種類以上のテンプレートを使い、2000万種類以上のTシャツを作ることができた。なかには意味不明なものもあったが、それは問題ではなかった。Amazonに出品するのにお金はかからないし、Tシャツはオンデマンドでプリントする。つまり、しかるべきカプスファンや歯科衛生士が注文してくれるまで、Tシャツを物理的に存在させる必要はなかったのだ。

これはすばらしい計画だと思われた。ところが2013年3月2日、Amazonをのぞいていた客が「冷静にがんばり抜け」という有名なスローガンをもじった不穏なメッセージの書かれたTシャツを見つけてしまった。[2] それらのメッセージは、ファウラーがアルゴリズムのワードバンクから削除するのを忘れてしまった単語を使って生成されていた。たとえばこんなメッセージがあった。

冷静に彼女を殴れ

冷静に彼女を刺せ

冷静にたっぷりレイプしろ

不快に思った客がこれらのTシャツの写真をTwitterに投稿すると、大騒ぎとなった。ファウラーは状況を把握すると、これらのメッセージはアルゴリズムが生成したもので、人間は1つも見なかったし承認もしなかったということ、そしてこれらのTシャツが実際に作られて物理的に存在したことは一度もないということを、Facebookで説明しようとした。だが、手遅れだった。Amazonは規約違反を理由にソリッド・ゴールド・ボムの出品を禁じた。数日後、ファウラーは全従業員を解雇し、廃業せざるを得なかった。

不快と思われる可能性のある単語を一般的な動詞のデータベースから削除し忘れるという単純なミスで、ファウラーの一生が変わってしまった。Tシャツ事件の6年後、私は彼と話した。すると彼はあの出来事に今も苦しんでいると言った。

「まるで苦行です。まだ完全には立ち直れていません」と、最近になって彼は話している。

ある日、1000匹のチンパンジーの群れがオフィスに現れて、仕事を求めてきたらどうするか。

現実的な対応としては、ドアをロックして動物管理局に通報するか、あるいは幻覚キノコの使用をやめようと決める、といったところだろう。しかしここでは、しばらく現実を離れて考えてみよう。パニックを起こさず、チンパンジーに仕事を与えるならどうするか。

じつのところ、それなりの環境を整えれば、チンパンジーは立派な働き手になれる。力持ちで身軽だし、頭も相当いい。訓練すれば、顔を認識したり、品物を取って運んだり、さらには簡単な命令を遂行することもできる。十分な訓練を受けたオフィス勤務のチンパンジーの集団が、倉庫で荷物の上げ下ろしをしたり、レーザープリンターの備品を補充したりする場面を想像するのは不可能ではない。

もちろん契約を交わす前に、チンパンジーについてもっと知る必要があるだろう。マナーはどの程度わきまえているか。人を攻撃したことはないか。訓練や監督はどのくらい必要か。最終的に、チンパンジーの集団を採用すると決めた場合でも、すぐには実行に移せないだろう。チンパンジー安全性監査を実施するか、あるいはチンパンジー監督タスクフォースを招集するかもしれない。少数のチンパンジーを部屋に入れて厳重に監視し、簡単な作業をするための訓練を施して成績を評価したうえで、もっと重要な仕事を与えることになるかもしれない。

しかしリスク許容度がどの程度であれ、いきなりチンパンジーを採用してＩＤカードとカードホルダーを与え、「よし、仕事にかかれ！」と命じることはまずないだろう。ましてや責任のある仕事をまかせることなどあり得ない。

ＡＩはなんでもまかせられるほど万能ではない

私が何を言いたいか、読者はおそらくおわかりだろう。

前の章で、人間がエンドポイントになったらどうなるか、つまりまだ完全には自動化できていないプロセスを自動化するまでのつなぎとして人間が利用されるならどうなるか、考えてみた。一方で逆の問題も存在し、多くの組織が「過剰な自動化」という間違いを犯している。機械に能力を超えた仕事と権限を与えておきながら、ひどい結果に至ると驚くのだ。

私はこの数年間、ＡＩが革命的なすばらしいテクノロジーであり、ＡＩを職場で使うべきかどうかについては考えるまでもないと信じ込んでいる、たくさんの企業役員に会ってきた。その判断は社員食堂でサラダのドレッシングを変更するのと変わらないくらい、害のない軽いものだと思っているのだ。彼らは可能な限りたくさんの機械を採用したがっていて、凡庸な業務自動化ボットをバックオフィスに配置するだけでなく、戦略や業務についてフロントオフィスの重大な決定も下せる本物のＡＩも使いたいと考えている。自分自身の仕事についても、かなりの部分をＡＩにまかせたいと真剣に考えている役員さえいる。最近の『ＭＩＴスローン・マネジメント・レビュー』に掲載された記事で２人の企業役員が、管理職の人間はごくわずかで、採用や解雇を含むほとんどの経営判断をアルゴリズムが下すという「自動運転企業」がこれから急激に増えるだろうと予想していた[3]。

失礼を承知で言わせてもらうが、そんなふうに考える人たちは頭がおかしい。実際、ＡＩや機械学習の最前線で働くコンピューターサイエンティストに話を聞けば、今あるＡＩで最高のものでも、そんなふうに軽々しく信頼を託せる段階にはとうてい至っていないと教えてくれるはずだ。

今のところ、ほとんどのＡＩはチンパンジーの群れと似たようなものだ。頭はいいが、人間ほどではない。適切な訓練と監視を受けていれば指示に従うことはできるが、訓練も監視も受けていなければおかしなふるまいをして、破壊的な行動を示すこともあり得る。何年もかけて訓練と成長を重ねれば、ＡＩも人間を上回る能力を発揮できるようになる。たとえば受信ボックスにたまった10億通のメールから迷惑メールをふるい分けるとか、ユーザーの好みにぴったりな音楽プレイリストを１００万通り作成するといったことはできるが、不確定要素の大きい新たな状況に投げ込まれるのはあまり得意でない。

私の気に入っているウェブサイトで、「ＡＩウィアードネス」（ＡＩの奇行）というブログサイトがある。ブログを書いているのはジャネル・シェインというコンピューターサイエンティストだ。彼女はカリフォルニア大学サンディエゴ校の博士課程で、人間の脳による情報処理を模倣するＡＩであるニューラルネットワークの研究をしていたときに、このサイトを立ち上げた。あるタスクを実行させるためのトレーニングを受けているニューラルネットワークが、ときどき妙な失敗をするのにシェインは気づいた。あるとき彼女は、動物保護施設で猫の名前を８０００個以上集め、そのデータセットを使って猫の名前を生成させるトレーニングをしていた。プログラムは実在する猫につけられた名前のリストを飲み込み、新たな名前を生成した。たとえばこんな名前が出てきた。

ジェンデリーナ
ソニー
ムロー
ジェクスリー
ピックル
マーパー

フォッピン
トビー・ブーチ・スノーパイ
ビッグ・ウィッギー・ブール

カクテルのレシピを作らせるトレーニングをしたこともあった。ニューラルネットワークが吐き出した最初のレシピは「モラルとフォップのンガバ」という飲み物で、こんなふうに記されていた。

ライナップル1 1／2オンス
クリルピジュース1ランス
スラムジジュース小さじ1
ワイトアスプルを加える
カクルテルグラスにフトルする

「AIウィアードネス」をもとにして『おバカな答えもAI（あい）してる』という本を出版したシェインなら、AIをチンパンジーと比べるなんてAIを買いかぶりすぎだと批判するだろう（実際、彼女はAIを別の生き物にたとえて「AIの知能はミミズ並みだ」

と書いている)[4]。彼女によれば、AIは人間がしっかり監視をしなければ、害のない愉快なミスをするだけでなく、真に危険なミスを犯すおそれもある。

「AIは期せずして誤った問題を解決したり、物を壊したり、不適切な近道を選んだりしがちなので、AIの差し出す『すばらしい解決策』が失策でないことを人間が確認する必要がある」と彼女は書いている。

しかし、このような注意書きはどうやら企業国家アメリカの意思決定者たちには通じていないらしい。というのは、彼らは依然としてAIの知恵を過信し、悪趣味なTシャツを意図せず宣伝したりまずそうなカクテルのレシピを考え出したりするよりも、はるかに深刻な事態に陥ることも少なくないのだ。

たとえばナイト・キャピタルというトレーディング会社は、2012年8月1日にわずか45分間で4億4000万ドルを失った[5]。自動トレーディングシステムがインストールの不備のせいで何百万株もの売買を高速で実行して株価を押し上げ、その株価で購入した株をあとで売却した際には値が下がっていたために、巨額の損失が生じたのだ。この損失のせいでナイト・キャピタルは倒産寸前に陥ったが、数億ドルの緊急融資を受けてなんとか最悪の事態を免れた。

IBMが保有するAI、ワトソンの例もある。これは2011年にクイズ番組『ジェパディー!』で番組チャンピオンに勝ったことで知られている。2013年、IBMはテキサス大学MDアンダーソンがんセンターと共同で、ワトソンを利用したがん治療ツールの開発に乗り出した。がん患者に治療法を推奨できるというものだったが、このプログラムには欠陥があった。２０１８年、医療ニュースサイトＳＴＡＴが入手した内部検査結果は、ワトソンが実際の患者ではなく架空の患者から得たデータを使って不適切にトレーニングされており、そのせいで不適切な治療法を推奨したことを示していた。[6] あるケースでは、65歳の肺がん患者が重度の出血を呈しているにもかかわらず、ワトソンは出血を悪化させるおそれのある薬の投与を医師に推奨していた（ＩＢＭはＳＴＡＴに対して声明を発表し、同社は「クライアントからの絶え間ないフィードバック、新たな科学的エビデンス、およびび新しいタイプのがんや治療の選択肢にもとづいて学び、ワトソン・ヘルスを改良した」と述べた）。

欠陥のあるＡＩは、社会の主流から外れた人たちに過度の影響をもたらすことが多い。これはアルゴリズムのトレーニングに使う過去のデータソースにしばしばバイアスが含まれていて、そのバイアスがアルゴリズムに取り込まれてしまうからだ。たとえば司法当局が「予測的取締り」ソフトウェアをトレーニングするのに使う逮捕者データの多くには、黒人やラテン系の住民が多い地域で何十年も続いてきた組織的な過剰取締りや、職務質問時などの人種差別的な方針の影響が見られる。[7] 裁判では、刑事事件の被告に対して再犯の可能性をコンピューターで予測し、それにもとづいて刑を推奨する「代替制裁のための矯正対象犯罪者管理プロファイリング」（ＣＯＭＰＡＳ）という悪名高い法執行アルゴリズムが使われている。２０１６年には独立系メディアのプロパブリカの調査により、ＣＯＭＰＡＳの判定では黒人被告の再犯可能性が白人被告のほぼ2倍となっていることが明らかにされた。[8]

世界中で、欠陥のある未検証のＡＩや自動システムに、信じがたいほど重要な決定が委ねられるようになってきた。これらのシステムを導入している政府、企業、組織のなかには、新しいアルゴリズムを慎重かつ厳密に評価し、起こり得るミスを特定するために脅威モデリングやシナリオプランニングを実行し、人間による監視を大量に配備するなど、適切な方法を用いているものもあるが、多くはそれができていない。やみくもに扉を開いてチンパンジーの群れを招き入れ、最良の結果を期待するのだ。

コンピューターサイエンティストで深層学習のパイオニアであるヨシュア・ベンジオは、いかにもあらゆる重要な意思決定プロセスにＡＩを取り入れよと主張しそうな人物だ。ところが２０１８年にジャーナリストのマーティン・フォードによるインタビューで、有罪判決を受けた重罪犯人の刑期など、人の一生にかかわる重大な判断を下すのにＡＩを使うことには強く反対する姿勢を表明した。[9]

「現在のＡＩは、そしてさほど遠くない未来に予見されるＡＩは、善悪を判断できるような道徳観念や道徳理解をもたず、この先ももつことはないでしょう。人々はそのことを理解する必要があります」とベンジオは語った。「そういう判断を機械に委ねるのは、正気の沙汰ではありません」

ＡＩの可能性を強く信じる人のなかにも、自動システムに過大な権限を与えたことで危機を経験した人がいる。たとえばテスラＣＥＯのイーロン・マスクもその１人だ。２０１８年、テスラはモデル３セダンの生産目標を達成するのに苦労していた。自動ベルトコンベア装置を使った同社工場の設備がきちんと作動しないことがその一因だった。生産に遅れが生じて計画に支障をきたすということが何度も起きたところで、マスクはコンベアを停止させ、機械の代わりに人間に作業をさせた。すると生産スピードが上がり、テスラは調子を取り戻して生産目標を達成することができた。[10] マスク（覚えておいてほしいのだが、彼は超インテリジェントなＡＩがいずれ人間の文明に脅威をもたらすと思っている）はのちに、あれほどの権限を機械に委ねたのは間違いだったと認めた。「テスラで自動化を過剰に推し進めたのは誤りだった」と彼はツイートした。「人間は過小評価されている」

ＡＩをどう監視するか

はっきり言っておくが、私は重要な仕事にＡＩを使うことに異議を唱えているのではない。ただ、責任を負える以上の権限を機械に与えることや、ミスが起きた場合に罪のない人に害が及ぶようなところにアルゴリズムを配置することに対して、細心の注意を払うべきだと言いたいのだ。

ここで政府による監視の強化が役に立つかもしれない。ブルッキングス研究所の研究員、ジョン・R・アレンとダレル・M・ウェストは、共著書『ターニングポイント』（*Turning Point*）において、土地開発業者が新規プロジェクトに着手する前に提出が義務付けられている環境影響報告書と同じような「AI影響報告書」の提出を、企業や政府機関に義務付けることを提案している。[11] これは新しい自動システムが従業員に与え得る影響の概要を説明し、そのリスクを抑えるためにとるべき対策を詳述するものになるという。2019年には、これと似たものを上院議員のコリー・ブッカーとロン・ワイデンが下院議員のイベット・クラークとともに「アルゴリズム説明責任法」として成立させた。[12] これは求人応募者のふるい分けに使われるアルゴリズムのように「きわめてセンシティブな自動決定システム」にバイアスや設計上の欠陥を示す証拠がないか、監査を実施する権限を連邦取引委員会に与える法律である。

責任のあるテクノロジー企業も、自社の新しいAIツールを公開する前に、それが不適切に使われる可能性をじっくり検討することによって、助けとなることができる。2019年、非営利のAI研究所であるオープンAIは、新たに開発したテキスト生成アルゴリズムGPT－2の完全版の公開を見合わせることで、責任ある開発のすぐれた手本となった。GPT－2はAIを使って文中で次に出てくる単語を予測することにより、提示された部分的なテキストのサンプルを妙に人間らしく完成させることができる。専門家は、これがフェイクニュースやコンピューターで生成されたプロパガンダを広めるのに利用されるおそれがあると懸念を表明していた。そこでオープンAIは、GPT－2を無制限に使用できるようにするとどうなるかが確認できるまで、完全版ではなく性能の低いバージョンのみを公開した（9カ月後に完全版を公開したときには、「これまでのところ、不適切な使用を示す強固な証拠は見つかっていない」と述べた）。

しかし、無謀で無責任なAIの使い方を防ぐために、私たちには新しい法律を待つ余裕はないし、AIメーカーの倫理基準をあてにする余裕もない。

勤め先が適切な事前対策をとらずにAIや自動化を導入したなら、従業員は声を上げればいい。不測のミスが引き起こし得るコスト（金銭的、法的、および評判にかかわるコスト）について管理職が理解しているか確かめ、重要なプロセスには人間の関与を続けるよう求めるべきだ。同僚と協力して、自動システムがエラーを起こしたり不適切に使用されたりするあらゆるケースを想定してシミュレートする脆弱性検証訓練を提案しよう。あるいは1970年代から80年代にかけて一部のメーカーがやっていたように、自動システムの稼働状況に関する所見を比較して、その結果を経営陣に報告できる従業員をさまざまな部署から集めた「自動化審議委員会」を設置しよう。

自分の暮らすコミュニティーで、ＡＩや自動化が個人のプライバシーを侵害したり、不利な状況にある人を苦しめたり、政府給付金や公営住宅などにかかわる重大な決定を下すのに使われているのなら、自治体職員にしっかり仕事をするよう促そう。ツールが有害な影響をもたらしていないかはっきりしない場合、あるいは関連するデータが手に入らない場合には、よそのコミュニティーで同様のツールをめぐって問題が起きていないか調べて、必要なら市民権団体と手を組もう。そうした介入が有効に働くこともある。たとえば２０２０年、シカゴ警察はプライバシーの侵害をめぐって物議を醸した、クリアビューＡＩという会社が開発した顔認識テクノロジーの使用契約を打ち切ると発表した。[13] 市民活動家とアメリカ自由人権協会による訴訟で、このテクノロジーがドメスティックバイオレンスの元被害者や不法滞在の移民といった弱い立場の人たちに不利益をもたらす可能性があると主張されたことを受けての措置だった。

自分の組織でＡＩや自動化を利用するか決める立場にあるリーダーは、マイク・ファウラーと彼のアルゴリズムＴシャツのことを覚えておこう。それから自分たちの使うアルゴリズムが、設計ミスやトレーニング用データセットに含まれていたバイアスのせいで、エラーを起こしたりバイアスを持ち込んだりしないことを確認しよう（今ではアルゴリズムにこれらの問題の兆候がないか調べる作業を「ＡＩ監査員」に助けてもらうこともできる）。[14]

外部の業者とは慎重にかかわり、巧みなセールストークには警戒しよう。可能な限り、いつでも従業員をプロセスに参加させよう。

それから、上司たちに覚えておいてほしいことがある。時期尚早の、あるいは不備のあるＡＩ導入の結果を引き受けるのは、ボットではなく意思決定者たる人間なのだ。たとえて言うなら、チンパンジーの群れがオフィスを破壊したとしても、チンパンジーに怒りをぶつける人はいないだろう。

ルール7

ビッグネットとスモールウェブを用意する

何万もの人を襲う災害を目撃しながら解決策を見つけられないのなら、われわれは高度なテクノロジーをもつとは言えず、啓蒙された社会に生きているとも言えません。解決策という言葉で私が意味するのは、紛れもない真の代替策です。進歩という名の力に一掃されてしまったのと同じ生活水準を与えてくれるものです。この力は進歩と呼ばれていますが、一部の人には破壊そのものなのです。

——マーチン・ルーサー・キング・ジュニア
1961年、米国運輸労働者組合に向けた、
自動化に関する演説

何年か前の凍てつく冬の日、私はトロントへ飛び、レンタカーで北へ1時間の道のりを走り、オンタリオ州の中規模都市、ウォータールーへ向かった。GPSを頼りにありふれたオフィス地区に入ると、「リサーチ・イン・モーション——西駐車場」と書かれた小さな看板のある広い駐車場に車を進めた。駐車場には数台の自動車が点々と停まっていたが、私が到着した平日の午後4時過ぎ、人の姿はほとんど見えなかった。

10年前なら、この駐車場は車でいっぱいだっただろう[1]。最盛期には、ブラックベリーのメーカーであるリサーチ・イン・モーション（RIM）はテクノロジー分野のトップ企業の1つとして、年間200億ドルを売り上げ、2万人を超す従業員を抱えていた。RIMがこの地で創業して巨大企業になるにつれ、好調な業績のおかげでウォータールーは好景気に沸く新興都市となった。もちろんこれは2007年までの話で、この年にAppleがiPhoneを発売すると、RIMは時代遅れの会社へと向かう長くつらい坂道を下り始めた。

消費者がiPhoneやAndroid端末に飛びつくと、ＲＩＭのブラックベリーの売り上げは落ち込み、損失が重なり、多数の従業員を解雇するしかなかった。

ＲＩＭの凋落は、経済的にも精神的にもウォータールーに大きな痛手を与えた。この会社はウォータールーの誇りであり、この会社のおかげでウォータールーは世界的なテクノロジーの中心地として地図に記された。ＲＩＭの最良の時代が過ぎ去ったことが明らかになっても、地元の人たちは誇らしげにブラックベリーを持ち歩き、復活を祈っていた。

大企業が業績不振に陥るのはめずらしくないし、そうした企業に依存するコミュニティーがそれから何十年も苦境に置かれるのもめずらしくない。１９６０年代にアメリカの自動車産業がピークを迎えてからデトロイトがどうなったか、あるいはニューヨーク州ロチェスターが最大の雇用企業だったコダックの衰退と倒産以来、どんな道筋をたどったかを見ればわかる。

しかしこれらの産業都市とは違い、ウォータールーはさびれなかった。むしろ逆だった。ＲＩＭを解雇された従業員のほとんどは、すぐに次の仕事を見つけた。GoogleやFacebookといったアメリカのテクノロジー企業がすかさずＲＩＭの元従業員の一部を採用し、それ以外の元従業員も、ほとんどが地元のスタートアップ企業やカナダの大企業に採用された。現在、ウォータールーの経済は活況を呈し、ＲＩＭの全盛期と比べて世帯収入の中央値は高く、失業率は低くなっている。

ウォータールーがこれほどすぐに立ち直れた理由の1つは、解雇されたＲＩＭの従業員の多くが、需要の高いスキルをもつ技術者だったことだ。といっても、技術者のスキルだけではこの回復劇のすべてを説明することはできない。なぜなら、技術者ではない従業員もすぐに再就職できたからだ。

私はウォータールーに1週間滞在し、地域の自治体職員、ブラックベリーの元従業員、コミュニティーのリーダーたちに、この町がブラックベリーの破綻から回復した道のりについて話を聞いた。そしてわかったのは、ウォータールーが生き延びられた背景には2つの大きな要因があったということだった。

第1の要因は、「ビッグネット」と私が呼ぶものだ。ビッグネットとは、不意に職を失って打撃を受けた場合に、その衝撃をやわらげることのできる大規模なプログラムや政策である。ウォータールーではカナダの国民皆保険制度がビッグネットの役割を果たし、それに加えて比較的手厚い失業手当もやはりビッグネットとして働いた。さらに住民によれば、トラブルの最初の兆候が現れた時点で州政府が介入し、解雇された元従業員を雇用する企業に報奨金を支給するとともに、それらの元従業員が地域から転出しないようにすることを優先事項と定めた。

第2の要因は、私が「スモールウェブ」と呼ぶものだ。これは困難に見舞われたときに当事者を支援する、地域のインフォーマルなネットワークである。ウォータールーはスモールネットをふんだんに備えて緊密に結びついたコミュニティーであり、最初にこの地に定住した18世紀のメノー派信徒に端を発する寛容の文化が根付いている。ブラックベリーが苦境に陥ったとき、スモールネットが機能した。コミュニティーのテクノロジー教育センターであり町の共同作業スペースでもあるコミュニテックが、オフィススペースやその他の便宜を元従業員たちに無償で提供した。地域住民や友人たちが求人情報を交換し、市民は就職説明会を開催して市外から雇用企業を誘致した。

ブラックベリーの元従業員のダン・シルベストルは、このような一致団結した対応は市民にとって自然なものだったと私に語った。

「メノー派信徒の納屋の棟上げ式のようなものです。ＲＩＭで問題が起こり始めたとき、誰もが自分の仕事を後回しにして動きだしました。『よし、助けてやるぞ』と言って」

テクノロジーによる破壊に対するセーフティーネット

本書ではこれまでのところ、もっぱらテクノロジーによる変化の影響に自分でどうやって備えるかを考えてきた。しかしどれほど備えを万全にしても、あるいはどれほどたくさんの人間らしいスキルを身につけても、ＡＩと自動化は私たちを襲ってくる可能性があるということも私たちは理解すべきだ。

私がウォータールーに足を運んだのはそのためだ。この町がどうやって技術による破壊的な変化に耐えて、果てしない災禍に陥らずに済んだのか、知りたかった。さらにブラックベリー後にウォータールーが示した強靭さから、AIと自動化の波にこれからひどく打撃を受けるおそれのある、ほかのコミュニティーが学べる教訓はないか、確かめたかった。

はっきり言おう。すべてのコミュニティーがウォータールーのようにうまく立ち直れるわけではない。私の育ったオハイオ州北東部では、かつては製造業経済が地域の数十万人の雇用を支えていたが、貿易政策、自動化、政治の失策のせいで経済が空洞化してしまった。GMやフォードをはじめとする大手企業から解雇された労働者の多くは、まともに再就職できなかった。以前よりも安い給料で働いたり、もっと好条件の職を求めて町を去ったり、働くことを完全にやめてしまったりするに至った。これらの雇用喪失は地域にも大きな痛手となり、私の故郷の郡ではこの20年間で貧困層の人口が2倍に増えた。

同様の悲劇はアメリカのいたるところで、コミュニティーを支えてきた主要な産業が衰退したときに起きている。AIと自動化がさらに多くの労働者から仕事を奪うと考える多くのエコノミスト、テクノロジスト、政治家は、大々的な政策変更や衝撃をやわらげることのできる、社会プログラムによるビッグネットを採用した解決策を提案している。

歴史的に見て、ビッグネットは社会がテクノロジーによる変化に適応するのを容易にしてきた。たとえば日本では、「出向」と呼ばれる雇用形態が広く用いられ、1980年代に多くの工場でロボットが導入されたのに伴う大規模な解雇の衝撃をやわらげるのに役立った。[2]出向扱いになると、解雇するはずだった社員を解雇せずに数年間、他社へ一時的に「貸し出し」、そのあいだにもとの雇用主がその社員のために次の仕事を探す。

スウェーデンでは、自動化のせいで仕事を失った労働者は「雇用保障協議会」と呼ばれる団体から支援を受けている。[3]これは民間の団体で（Trygghetsrådet とか Trygghetsstiftelsen など、発音せずに済ませたいと思うような名前がついている）、数万社の社員を保障対象としている。雇用企業は協議会に掛け金を支払い、社員が解雇されると協議会が元社員に解雇手当を給付し、専任の就職カウンセラーを割り当てる。カウンセラーは再就職先を探す求職者に求人を紹介し、就業や心のサポートを提供する。

現在、アメリカでＡＩ専門家が最もよく提案するビッグネットはベーシックインカムだ。ベーシックインカム制度のもとでは、すべての成人市民が雇用状態や収入とは関係なく、自由に使える現金を毎月支給される。アメリカ各地のいくつかのコミュニティーで、小規模なベーシックインカムプログラムの実証実験がすでに始まっていて、初期の結果を見る限り期待がもてる。

ビル・ゲイツやニューヨーク市長のビル・デブラシオ（訳注：２０２２年1月に退任）など、一部の有力者はセーフティーネットプログラムを拡充するための資金として「ロボット税」の導入を訴えている。[4]ロボット税とは、自動システムを採用している企業が人に代わって働くロボットについて収める追加の税で、従業員を雇用している場合の給与税に相当する。一方、アメリカの税法の改正を提案する人もいる。現行の税法では、コンピューターやロボットなどの物理的な設備に人間の労働力よりも低い税率を設定することで自動化を奨励しているが、この改正が実現すれば、企業が自動化を急ぐべき理由が少なくなる。

多くの企業首脳は、トラックの運転やフォークリフトの操作などのまもなく時代遅れになるスキルをもつ従業員に対し、ドローンの操縦やコード作成といったもっと価値のある仕事ができるように訓練する「再教育」や「スキルアップ」のプログラムを支持している。Amazon、AT&T、JPモルガン・チェースなどは大規模な再教育プログラムを実施しており、一部の州政府や地方自治体は独自に労働者研修やデジタルスキルプログラムを設けている。しかしこれまでのところ、これらのプログラムを大規模に実施した場合の有効性を示す証拠はほとんど得られていない。多くの企業はすでに雇用している従業員を再教育するよりも新規に採用するほうが簡単だと考えているし、データサイエンスのように需要の高いスキルは6週間のセミナーでは教えきれない専門知識を必要とする場合もある。2019年に世界経済フォーラムが発表した報告書では、今後10年間に自動化のために完全に失業する労働者のうち、民間部門のプログラムで新たな技能を習得できるのは4人に1人の割合にとどまると推定されている[5]。

個人的には、民間部門が自ら一因となって引き起こしている問題から私たちを救ってくれるとは考えにくい。むしろ私としては、ベーシックインカムに加えて、全国民が加入するメディケア・フォー・オール、そして自動化によって職を失った労働者を対象とする手厚い失業手当を組み合わせる方式を支持したい。この失業手当には、COVID-19パンデミックの際に連邦政府が実施した緊急現金給付と同じ方法をとればよい。

何をするにせよ、どんな社会的措置も、自動化に伴う経済的困難に対して連邦政府レベルで現在行なわれている取り組みよりは役に立つはずだ。なにしろ政府は今のところ何もしていないに等しいのだから。

スモールウェブの多様な効果

ビッグネットに加えて、テクノロジーによる変革のさなかに私たちが互いを支え合うために設けることのできる、スモールウェブについても考える必要がある。というのは、経済や政策においてよほど根本的な変化が起きない限り、私たちはスモールウェブについて多くを自分たちで手当てする必要があるからだ。

COVID-19の危機に際して私たちがとった対応が、ここで参考になる。パンデミックに襲われたとき、トランプ政権が状況にまともに対処できなかったため、州政府や地方自治体は独自にデータを集め、独自の手順を定め、独自の物資供給網を確立した。地域は相互扶助ネットワークを形成して資源を備蓄し、弱い立場にある住民や困窮した住民に食料品やその他の支援を提供する仕組みを整え、金銭的な困難も互いに助け合って切り抜けた。フードバンクや労働者救済資金、中小企業のための資金調達運動に、寄付が続々と集まった。市民は空き部屋を医療従事者に提供し、マスク作りのワークショップを開いた。

良心的な企業も同調し、独自にスモールウェブを構築した。パンデミックでとりわけ大きな打撃を受けたシリコンバレーの企業であるAirbnbは、過去に経験したことのない減収を受けて、スタッフの25パーセントの解雇を余儀なくされた。[6] 同社では解雇した社員に対し、手厚い解雇手当に加えて、プロフィールと業務サンプルを掲載した「OB技能リスト」を作成して再就職を支援した。さらに採用チーム（もっとも採用活動はあまりしていなかった）を臨時の再雇用斡旋会社として稼働させた。アクセンチュア、ベライゾン、リンカーン・フィナンシャル・グループ、サービスナウの役員が手を組んで、解雇された労働者と求人中の企業を結びつけるためのプラットフォームを立ち上げ、数百社の参加企業と契約を結んだ。[7]

スモールウェブは、解雇された労働者に再就職先を見つけることを目指すだけではない。精神的な恩恵をもたらすこともあり得る。たとえば宗教団体への帰属や瞑想のグループレッスンなどもスモールウェブとなり、経済的な混乱のさなかに心の安らぎや生きがいを与えてくれる。地域の学校でボランティアとして働くことや、読書クラブに参加すること、あるいは単に新しい友人関係を開拓することも、すべてスモールウェブの活動として、変化に直面したときに私たちをもっと強靭にすることができる。

スモールウェブはまた、新しいテクノロジーを自分のために利用する方法を学ぶのを助けてくれることがある。そして新しいツールが暮らしをよくしてくれる事例を世に知らせるのにも役立つ。

スモールウェブといえば、私のお気に入りの話がある。1930年代にアメリカの農村地域に電気を供給しようと、ルーズベルト政権がニューディール政策で創設した農村電化局の話だ。新しい町に初めて電気が供給されるたびに、農村電化局は町ぐるみの儀式を挙行したという。農村部のコミュニティーにとって、電気の供給開始は人生が変わるような一大事だ。これによって農家は重労働から解放され、従来よりも何時間か長く農作業ができるようになり、収穫量を増やすことができた。

歴史学者のデイビッド・E・ナイによると、この儀式はしばしばコミュニティー全体を巻き込んだにぎやかなパーティーとなり、地元の政治家によるスピーチや、石油ランプを地中に埋めて古いテクノロジーの死と新しいテクノロジーの到来を象徴的に表現する疑似的な「葬式」が行なわれた[8]。1938年にケンタッキー州で行なわれた儀式では、地元のボーイスカウト隊が葬送のラッパを吹くなかで、牧師が石油ランプの入った棺に向かって追悼の辞を述べた。

昨今では、新しいテクノロジーがこれほど熱心な歓迎を受けることはほとんどない。それでもコミュニティーで共有される祝祭的な気分をいくらかでも理解し、地域のコミュニティーとして集まり、新しいテクノロジーのもつ意味を語り合って見出す試みはできる。地元の商工会議所がスポンサーとなって町内でパーティーを開き、5G接続の到来を祝うのはどうだろう。あるいは「AIフェア」に地域の家族を招待し、最新の医療ロボットや自動運転車の試作モデルや地元企業で使われている機械学習プログラムなどを試してもらうのはどうだろう。

とかく忘れてしまいがちだが、かつてテクノロジーは私たちを団結させた。現代の巨大テクノロジー企業が分断の拡大や不平等の深刻化をもたらすようなテクノロジーの開発をやめて、社会的責任を果たすことに乗り出すなら、かつてテクノロジーが果たした役割を取り戻すことは可能だろう。

とはいえ、私たちは企業の動きを待つ必要はない。私たちは社会として、テクノロジーによる変化のせいで安定を失った人を助けるビッグネットを、もっとたくさん用意することができる。個人として、スモールウェブの構築や強化に取り組んでもいい。変化が訪れたときに、生き抜くための手立てを備えていられるように。

ルール8

機械時代の人間性を理解する

われわれは人間に機械の仕事をやらせる訓練をしている。しかし、そんなことをするべきではない。人間だけがもつ能力を伸ばす訓練をするべきだ。

——ポール・ドーアティ
アクセンチュア社テクノロジーおよびイノベーション最高責任者

ＡＩと自動化について記事を書き始めてからというもの、私は不安を抱いた親たちから、将来に備えるには子どもにどの科目を勉強させたらいいかとしょっちゅう訊かれている。

いい答えは長らく見つからなかった。未来において最も価値のあるスキルは小文字のhumanities（人間性）、すなわち本書で扱ってきた、意外性と社会性と稀少性を備えた能力だと私は確信しているが、学校で教わる伝統的な大文字のHumanities（人文科学）の科目がその能力を身につける手立てとなるかについては確信できないからだ。人類学を専攻する平均的な学生は、工学を専攻する平均的な学生と比べて社会的な能力が高いのか。『ベオウルフ』を読めば、ベイズ統計学を学んだ場合よりも意外性を扱うのがうまくなったり、稀少な才能を伸ばしたりできるのか。

21世紀の教育とは

教育制度を21世紀にふさわしいものとするために、個別化カリキュラム、大規模公開オンライン講座（MOOC）、成人向けの「生涯学習」教育プログラムなど、さまざまなアイデアが出され、検証されてきた。しかし十分に検証されたものは少なく、いずれのアイデアも主に「どのように」教えるかを扱い、「何を」教えるかという問いには答えていない。さらにどのアイデアも、特定の科目に重点をおいてそれ以外の科目は軽んじ、クラスの人数を適正化し、最新の教授法を用いるといった方向で現行の教育モデルの改革を目指しているので、見過ごされている点が多い。

最近、私は将来に必須となるスキルのリストを自分なりに作ろうと決め、それらのスキルを「機械時代の人間性」と命名した。というのは、それらは厳密に言ってテクノロジーに関するスキルではないが、哲学やロシア文学といった古典的な人文科学の学問分野でもないからだ。

これらは実用的なスキルであり、幼い子どもから成人まで、あらゆる人が機械に対して自らの強みを最大限に伸ばす助けになると私は考えている。

注意力の防御

「心の知能指数」(EQ)という言葉を世に広めた心理学者のダニエル・ゴールマンは、集中力、すなわち自分の注意力を正しい対象に向ける能力が、未来において重要なスキルの1つになると考えている。[1] 彼によれば、集中し、外部から気を散らすものを無視できる能力は、めまぐるしく変化する未来を生き抜き、テクノロジーによる変化の結果として経験する浮き沈みに対処するのに役立つと思われる。

「集中力の高い人は感情の動揺が起こりにくく、危機に直面しても動じることがなく、生活の中で感情を刺激する波に襲われても冷静でいられる」とゴールマンは書いている。

私は「集中」よりも「注意力の防御」という言い方がよいと思う。こちらのほうが実態に即しているからだ。私たちが注意散漫と闘っているときというのは、実際には私たちの気持ちを引きつけて気を散らさせようとするさまざまな外部の力、たとえばソーシャルメディアアプリ、緊急ニュースのアラート、次々に届くテキストメッセージやメールなどによる攻撃から、注意力を守ろうとしていることがほとんどだ。

注意力を防御する能力が高まるように、脳を訓練するのに確立された方法がいくつかある。その1つが瞑想だ。研究によると、わずか8分でも瞑想をすれば心の迷走が抑えられる。[2] 呼吸エクササイズ、自然の中の散策、祈りも効果がある。私の場合、注意力を防御するのに最も有効な儀式は読書だ。スマホを遠く離れた場所にしまい、長い時間をかけて、印刷された紙の本をじっくりと読む。ともあれ注意力を防御する方法については、もっとたくさん研究してほしい。なにしろ私たちの気をそらそうと、大勢の聡明な人材と巨額の資金が投入されているのだから。

注意力の防御は一般に、生産性を高める技、すなわち注意散漫を抑えてより多くの物事を実行するための方法と考えられている。しかし、注意力が外部の力にとらわれてよそへ向けられるのを防ぐことには、経済以外の理由もある。新しいスキルを身につけるときや、人とのつながりを築くときには、注意力を持続させる必要がある。私たちが自分を知り、機械の影響に耐えられるポジティブなアイデンティティーを確立するにも、やはり注意力の持続が必要だ。なにしろ歴史学者で作家のユヴァル・ノア・ハラリが書いているとおり「人の内部で起きていることを本人よりもアルゴリズムのほうがよく理解できるなら、支配力はアルゴリズムに移る」に違いないのだ[3]。

空気を読む

先日、求人検索エンジンのインディードのチーフエコノミスト、ジェド・コルコの講演に行った。そこで彼は将来に対してきちんと備えができていそうな人について、思いがけない予想を口にした。自らの性的指向を隠してきたLGBTQの人たちは、AIと自動化の時代をとりわけうまく生きていかれるかもしれない、と言ったのだ。彼らの多くは高いEQが必要とされるデリケートな社会的駆け引きの経験が豊富だからだという。「本当の自分を隠していることで身につくこのようなスキル、すなわち空気を読む能力は、従業員技能リストに記載されることはありませんが、どんな職場においても価値をもち得るのです」とコルコは言った。

私はコルコの予想をさらに推し進めて、女性と人種的少数派（その多くは、白人男性が支配する職場で日々自らの役割を切り替え、状況に合わせてふるまうことを求められる）も将来への備えがよくできていると思う。女性の企業役員が攻撃的だと思われないように口調をやわらげたり、黒人従業員がある特定の集団に応対する場合にアフリカ系アメリカ人特有の英語を使わないように気をつけたりするときと同じ本能が、高度な社会的知覚を必要とする場で女性や人種的少数派を優位に立たせることが考えられる。

もちろんこれよりはるかに望ましいのは、女性や少数派がこれほど慎重に自己表現をとりつくろう必要に迫られることのない、もっと平等な社会で生きることだ。ともあれ、機械の時代は他者のもつバイアスや偏見をすばやく把握することに長けた人たちに、希望ももたらすかもしれない。役割を切り替えたり空気を読んだりする負担を負わない人は、別の方法でこのスキルを身につける努力をすべきである。というのは、誰にとってもこのスキルは必要となるはずだからだ。

休息

私がソーシャルメディアでフォローしているお気に入りの1つに、「ザ・ナップ・ミニストリー」(昼寝の聖務)というInstagramのアカウントがある。

アカウントの主は、ジョージア州アトランタ出身のトリシア・ハーシーという黒人のパフォーマンスアーティスト兼詩人だ。[4] 数年前、「ブラック・ライブズ・マター」運動が始まってまもないころに神学校で学んでいたとき、ハーシーは自分が疲れきってうんざりしているのに気づいた。勉強に疲れたし、黒人に対する警察の残虐行為を撮影した動画がたびたび出回るのにもうんざりしていた。そこで毎日、昼寝をすることにした。昼寝が心の健康にもたらす効果を観察したところで、彼女は自ら「昼寝主教」を名乗り、「ザ・ナップ・ミニストリー」を始めた。昼寝が人に変化を起こす可能性について、ほかの人たちに、特に精神的に疲弊した黒人たちに、教えることが目的だった。

「休息は生産的です」とハーシーはあるインタビュアーに語った。「休んでいるとき、人は生産的になります。私は休息のとらえ方を改め、従来の意味で『何かをする』ことをしていない人は価値がないという考え方を改めたいと思っています」

ハーシーは、昼寝をしてリラックスすることは、ただ自分をいたわることだけが目的ではないと考えている。白人至上主義と資本主義による圧力に抗う行為であり、ハッスル文化から黒人の体を取り戻す手立てなのだ。彼女のInstagramのアカウントは、「休息は解放の実践である」とか「あなたは機械ではない。猛烈に働くのはやめよう」といった刺激的な言葉であふれている。

私はハーシーの活動が訴えかけるターゲットには含まれていない。しかし、身体の休息を社会正義の問題としてとらえ直し、さらには抑圧に抗って、もっと公平な未来のために闘うエネルギーを必要とする人たちに不可欠のスキルとしてとらえ直す彼女の試みはすばらしいと心から思う。

私たちはふつう、幼児期を過ぎたら昼寝の時間を教育に取り入れなくなる。しかし脳のスイッチを切って体を充電するための休息は、年代を問わずスキルとして役立つようになってきている。燃え尽きと疲弊を防ぎ、一歩さがって視野を広げ、生産性という回し車から降りて、自分自身の最も人間らしい部分とのつながりを取り戻す助けとなる。そして私を含めて多くの人は、このスキルを学び直すことができる。

人の価値がもっぱら肉体労働にもとづいて判断された時代の古い経済では、昼間の休息など甘ったれた贅沢だと見なされることが多かった。しかし、もっと創造的で人間的なスキルが人を機械から区別する新しい経済では、休息を生存に不可欠なスキルと考えて、休息に対する姿勢を改めるべきだ。休息と人間のさまざまな機能との関係は、科学で明らかにされている。ウォルター・リード陸軍研究所などの一流研究所で神経科学者が行なった研究によると[5]、慢性的な睡眠不足は道徳的判断力を損ね、ＥＱを下げ[6]、対人コミュニケーションスキルを損ねる[7]（身体の健康に対するリスクについては言うまでもない）。

個人が昼寝のスキルを伸ばすのに加えて、もっと大きな規模で燃え尽きや過労を緩和する構造的改革も求めるべきだ。これがすでに始まっている国もある。日本では２０１９年に労働者の時間外労働を１カ月に45時間までとし、これに違反した企業には罰金を科すという法律が施行された[8]。２０１７年に発効したフランスの法律は、「つながらない権利」を労働者に与え、午後６時以降はメールへの応答を拒否する法的権利を認めている[9]。アメリカでは一部の企業が休暇を強制的に取得させる方針を採用し、週末には全社のメールを停止している。

休息の価値について、学生に指導する実験を行なっている学校もある。ハーバード大学では、新入生は入学前に睡眠研究の第一人者であるチャールズ・チェイスラーによる人気セミナーをもとにした「睡眠入門」という科目をオンラインで受講することが必須となっている。[10]ブラウン大学、スタンフォード大学、ニューヨーク大学も、睡眠研究を扱う選択科目を独自に開講している。

しかし、これらの科目を名門大学の学生だけのものにしておくわけにはいかない。自動化の進んだ未来では、私たちがなんらかの貢献をするには、大きなブレークスルーやインスピレーションに満ちたアイデアや気持ちの適性がその源となることが増えていくので、十分な休息をとることは今まで以上に重要となるはずだ。

デジタル判断力

ソーシャルメディアを扱うテクノロジー担当コラムニストとして、私はこの数年間、誤情報や陰謀論について書くことにかなりの時間を費やしてきた。そして気づいたのだが、最近ではかなり頭のいい人でも、何が真実で何が嘘かを見極めるのに苦労している。読者の皆さんも、気づいているのではないだろうか。

これは偶然ではない。何十億という人たちがFacebookやTwitter、YouTubeなどのソーシャルネットワークからニュースや情報を入手しているが、そのすべてで、真偽にかかわらず人気を集めた情報を高く評価するアルゴリズムが使われている。これらのプラットフォームでは、広告はなるべく無償の投稿だと思わせるようにデザインされている。だからフィードをすばやくスクロールしていくほとんどのユーザーは、有償で掲載されたメッセージと無償のメッセージとを区別することができない。たまにこれらのプラットフォームが特定の投稿について事実確認の情報を提供する（たとえば狂信的な反ワクチン派からの投稿の近くに、ワクチンの安全性について書かれた世界保健機関のウェブページへのリンクを掲載する）と、ユーザーはメジャーな権威を信用しないようにとしっかり条件付けされているので、事実確認情報自体がさらに陰謀論を引き起こすことも少なくない。

「メディアリテラシー」という言葉が世間ではもてはやされているが、私はこれが好きではない。この言葉は、ニュースや情報の提供源をまとめ合わせて解釈するための唯一正しい方法を人に教えることが可能だということを示唆しているが、実際にはそれらの情報源は多くが互いに対立したり衝突したりする。また情報源の一部は、情報の受け手をだまして世論を操作できるように、悪意のあるメディアハッカーが意図的に作り上げたものである。

そこで私は「デジタル判断力」について語りたい。この言葉には、不明瞭で混沌としたオンラインの情報エコシステムの中で道を誤らない方法を学ぶことは生涯続く絶え間ないプロセスであり、テクノロジーが変化してメディアの操作者が新たなツールやプラットフォームに適応するのに伴って、そのプロセスも変化するという事実が反映される。

デジタル判断力の欠如は、まさに社会問題になりつつある。2015年、スタンフォード大学の研究グループが、「市民のオンライン推論力」の研究を行なった。[11] この研究では、中学生から大学生まで7000人以上を対象として基本的なニュースリテラシーのテストを実施した。あるテストでは、銀行がスポンサーを務めて銀行の役員が作成した財務計画に関する記事を参加者に見せ、これが信頼できる客観的な情報源である可能性について質問した。別のテストでは、見た目が似ているFacebookの投稿2つ（1つはFOXニュースの公式アカウントから採り、もう1つは偽アカウントのページから採った）を調べさせ、どちらが本物か質問した。すると、衝撃的なほどひどい結果が出た。参加者の80パーセント以上がネイティブ広告（広告主が掲載料を支払い、「スポンサーコンテンツ」という表示のついた記事）を本物のニュース記事だと誤解した。30パーセント以上がFOXニュースのTwitterカウントの偽物を本物よりも信用できると答えた。「どのケースでも、またどのレベルでも、生徒の無防備さに愕然とした」と研究者たちは記している。

デジタル判断力に問題があるのは、若者だけではない。ある研究では、2016年の大統領選挙期間中、65歳以上の人は若者と比べて7倍の確率でインターネット上の誤情報をほかの人に伝えていたことがわかった。[12] インターネット上の誤情報の虚偽を暴くのは、すでに今でも難しいが、これからの数年で、アルゴリズムが生成したテキストやリアルな会話をするＡＩ、機械学習の助けを借りて作られる合成ビデオ（「ディープフェイク」）などが広まるのに伴って、いっそう難しくなるだろう。

デジタル判断力の問題に対して完璧な解決策はないが、研究者たちはいくらか前進を遂げている。非営利組織のデータ＆ソサエティーのために作成された２０１８年の報告書で、モニカ・バルガーとパトリック・デイビソンは、メディアリテラシープログラムには限界があるが、ある種の介入は有効だと述べた。[13] ２０１７年にバージニア州シャーロッツビルで白人ナショナリストらが開いた「ユナイト・ザ・ライト・ラリー」という集会で死者が出たあと、Twitter 上で話題となった「#シャーロッツビルカリキュラム」というハッシュタグが例として挙げられている。この集会の結果としてきわめて偏向した誤情報が飛び交ったあと、教員や名誉棄損防止同盟などの団体がこのハッシュタグを使い、人種や偏見や寛容について教室で建設的な対話を促すためのアドバイスを共有した。

これはよい出発点だ。しかしどんな介入が実際に有効なのか、もっと調べることが是非とも必要だ。そもそも人が誤情報にだまされないようにするだけでなく、陰謀論を信じ始めた人や、でっち上げの話にだまされている人がいたら、その人を現実に引き戻すことも必要だ。認識が混乱しためちゃくちゃな環境で、事実を虚構から識別する能力は、人間にとってきわめて重要な力となるだろう。デジタル判断力があれば、人は情報をもっと効果的にふるい分け、嘘つきやいかさま師にだまされるのを防ぎ、現代の情報戦争の霧を見通すことができるだろう。

アナログな倫理

AIスタートアップ企業に投資するベンチャー投資家のフランク・チェンは、将来に高い価値をもつのはどんなスキルかと訊かれると、一風変わった本を勧める。その本というのは、牧師のロバート・フルガムが1986年に執筆した『人生に必要な知恵はすべて幼稚園の砂場で学んだ』で、これには「すべてを分かち合う」とか「ズルをしない」、「散らかしたら自分で片づける」といった単純に聞こえる人生の教えが詰まっている。

チェンは、ほかの人に丁寧に接する、倫理的にふるまう、誰かのために行動するなど、私には「アナログな倫理」と思える読み書き以前の基本的なスキルこそ、人の価値がほかの人との結びつきを築く能力から生じる時代には強く求められると考えている。彼はこんなことを書いている。

その土台のうえに実用的で技術的なノウハウを重ねる必要があることはわかっているが、私はフルガムに同感だ。彼はEQや思いやりや想像力や創造力に満ちた土台が、機械学習を原動力としながら人間とアルゴリズムがよりよい関係を築く未来へと人々を備えさせる完璧な跳躍台だと考えているのだ――医師は病床のかたわらで最高のふるまいを見せ、販売員は私が現実に抱える問題を解決し、危機カウンセラーは私たちが危機に直面しているときにそのことをきちんと理解できるように[14]。

アナログな倫理を教えるのが有効であることは、研究で示されている。子どもを幼稚園から早期成人期まで追跡した2015年の研究では、積極性、共感、自己の感情の制御など、他者への思いやりを示す非認知的なスキルをしっかりと身につけた人のほうが、成人してから成功しやすいことが判明した[15]。別の2017年に行なわれた研究では、「社会的感情」学習プログラムに参加した子どもは、大学を卒業する割合が高く、成人してから逮捕される割合が低く、精神疾患の診断を受ける割合が低く、この結果は人種や社会経済的地位や学校の所在地といった変数について調節しても変わらないということが判明した[16]。

もちろん低年齢の子どもについては、分かち合うこと、ズルをしないこと、謝ることといった基本的なスキルがカリキュラムから消えることは決してない。しかし今、学校は明確に「思いやり」の育成を中心としたプログラムの設計を始めつつある。ウィスコンシン・

マディソン大学のヘルシーマインドセンターが教材を開発した「思いやりカリキュラム」は、就学前の子どもが自分と他者の感情を理解するのに役立つ基本的な気配りのスキルを習得するのを助ける。また、生徒が共感と感情リテラシーを身につけるのを助けるためにカナダの教育学者メアリー・ゴードンが開発した「共感のルーツ」というプログラムは、アメリカ、韓国、ドイツなど14カ国の学校で採用されている。

もっと年長の学生も、アナログな倫理の再考を試みている。たとえばスタンフォード大学では、「思いやりの習得」というセミナーがあり、学生は利他的行動の心理学について学ぶことができる。ニューヨーク大学では、学部学生が「現実の世界」という科目で問題解決のシミュレーション演習を通じて、変化に対処する能力という未来に不可欠なスキルを習得する。デューク大学やピッツバーグ大学をはじめとする名門大学の医学部では、腫瘍学の特別研究員が「オンコトーク」(がんの話術)というコミュニケーション専門科目で、語りにくい事柄についてがん患者と話す際の方法を学んでいる。

これらの取り組みは、いずれもよい出発点である。人の個人的な生活を改善することに加えて、社会的なスキルや感情を扱うスキルがきわめて価値の高い資質となる未来に備えるためにも、さらなるアナログな倫理の教育が強く求められる。

将来にきわめて高い価値をもつスキルのなかには、ＡＩや機械学習がもたらす末端の影響について考えたり、これらのシステムが社会に解き放たれたときにもたらすであろう影響を理解したりすることが必要なものがある。

FacebookやYouTubeのような地球規模のＡＩシステムがもたらす、意図せぬ帰結のいくつかを私たちは今では知っていて、これらのシステムを生み出したエンジニアや企業役員が自分たちの成果を誤用、乱用、悪用される可能性を察知できなかった理由もいくらかはわかっている。私の考えでは、これらのシステムのほとんどは害をもたらすように意図的に設計されたわけではない。それらを生み出した創業者やエンジニアたちは、よい結果を出すことよりもよい意図をもつことのほうが大事だと考える理想主義者だったのだと私は思っている。

今日、こうした盲点が存在することから、そしてこれらのシステムを生み出した企業が自らの誤りを正すために何十億ドルもの支出を余儀なくされていることから、壊滅的な問題が起きる前に技術システムの不備を見つけ出すことのできる人材への需要が高まっている。大手テクノロジー企業は、法執行、サイバーセキュリティー、公共政策といった分野のバックグラウンドをもち、現実世界での経験と、新しい製品を分析してそれが引き起こし得る害をもれなく想像できる、帰結主義的な想像力を備えた人材を採用している。

将来には、こうした人材への需要は今よりも格段に高まるだろう。そこで求められる人材は、エンジニアばかりではない。人間の心理やリスクと確率を理解する人が求められることもあるかもしれない（当時TwitterのCEOだったジャック・ドーシーは、Twitterの創業直後に同社のシステムを悪用する悪意ある人間の手口を理解するのを助けてもらうために、ゲーム理論の専門家や行動経済学者を採用しなかったことが悔やまれると語っている[17]）。

AIがさまざまな業界へ広がり、エラーの起きる機会が増えるなかで、帰結主義的な考え方はテクノロジー以外の分野でも役に立つだろう。医師と看護師は画像診断に用いるツールの長所と短所を理解し、読影ミスが起こり得る状況を予想する必要が生じる。弁護士は法廷や法執行機関が使用するアルゴリズムの内部を見て、そのアルゴリズムが偏った判断をもたらす可能性について理解する必要がある。人権活動家は、弱い立場にある人たちに対して監視したり狙いを定めたりする目的で、顔認識AIなどがどのように利用されるかを知る必要がある。

帰結主義的思考を浸透させる1つの方法は、明確な形を与えて科学技術系の標準カリキュラムに組み込むか、専門職に就くための通過儀礼とすることだろう。カナダでは、工学部を卒業する学生が「エンジニア就職式」という儀式に招かれる。[18] これは1920年代から続く儀式で、卒業生は公益のために尽くす責任を忘れないための鉄の指輪を授与されて小指にはめる。それから誓いの言葉を述べる。これは「これからは悪しき技術や欠陥のある材料を用いず、看過せず、看過に関与しない」ことを約束する言葉で始まる。

FacebookやYouTubeで働くソフトウェアエンジニアが初めて開発した機能を公開する前、あるいは初めて作ったニューラルネットワークをトレーニングする前に、同じような儀式への参加を義務付けたらどうなるか、想像してみよう。社会の問題がすべて解決されるだろうか？ いや、もちろんそんなことはない。では、彼らに自らの仕事の重みに気づかせ、ユーザーの置かれた弱い立場に気を配る必要性を思い起こさせることはできるだろうか？ それは確かに可能だ。

ルール9
反逆者を武装する

われわれはみな恐れている——われわれの自信を、未来を、世界を。人間の想像とはそういうものだ。それでもあらゆる人間、あらゆる文明が進歩してきたのは、自ら着手したことをやり遂げてきたからである。

——ジェイコブ・ブロノフスキー

今からほぼ2世紀前、ある厭世的な27歳の人物が、テクノロジーからしばらく離れようと決めた。

この人物の生まれ育ったマサチューセッツ州コンコードは、アメリカ産業革命の中心地だった。家業の鉛筆工場が好調だったおかげで、彼は安楽な暮らしができた。しかし、工場での暮らしは彼の性に合わなかった。大学を卒業すると、「超越主義」という新しい運動に関心を抱いた。これは現代という時代が人から人間らしさを奪っておもしろみに欠ける順応主義者を生み出していると考えて、現代のもろもろに幻滅したニューイングランドの作家や哲学者らが始めた運動である。

やがて彼は産業化された世界を脱することにした。湖のほとりに簡素な小屋を建て、財産を手放して、そこで暮らし始めた。

この人物、ヘンリー・デイビッド・ソローは、湖畔での経験をつづった『ウォールデン』という不朽の名作を残した。この本は、アメリカで何世代も続いてきたテクノロジーの進歩に伴うトレードオフに対する見方を変えた。『ウォールデン』は自然を描くソローの筆致と簡素な生活をめぐる彼の思索でよく知られるようになったが、テクノロジーに抗おうとする痛烈な叫びでもあった。ソローは明らかにテクノロジーを嫌い、電信などの新発明を取り巻く騒ぎに憤慨した。彼は電信について、人の心を真の目的からそらすものでしかないと思っていた。

「メイン州からテキサス州まで、大変な勢いで磁石式電信の敷設が進められている。しかし、メイン州とテキサス州のあいだで、通信すべき重要なことなどあるのだろうか」と彼は1854年に記している。「言いたいことが伝わるように話すのではなく、ただ早口で話すことが主たる目的であるように思えてならない」[1]

ソローの話は有名だ。しかし1845年7月4日、奇しくもソローがウォールデンの湖畔に移り住んだのと同じ日に、サラ・バグリーという労働運動家が演説をして、それがのちにはソローの書き残したどの作品よりもずっと直接的にテクノロジーの進歩の道筋を変えることになったという話は、ほとんど知られていない。

バグリーはマサチューセッツ州ローウェルで暮らしていた。[2] 地元の繊維工場では「ローウェルガール」と呼ばれる労働者階級の若い女性がたくさん働いていて、バグリーもその1人だった。ソローと同じく、バグリーも産業文化に幻滅していたが、その理由はソローとはまったく違っていた。バグリーは裕福な実業家の子ではなく労働者だった。そして工場での労働がいかに劣悪であるか、身をもって知っていた。賃金の引き下げ、長時間労働、苛酷な勤務条件を経験し、産業界の有力者が労働者を犠牲にして富を得ていることに憤りを抱いていた。

バグリーは自然の中へ引きこもるのではなく、労働組合の幹部となった。地元誌に労働者を擁護する記事を投稿し始め、やがてローウェル婦人労働改革協会という団体を創設し、労働者の権利を主張するようになった。地域の労働運動指導者が彼女の活動を見出し、マサチューセッツ州ウォーバーンで開かれた独立記念日の労働者集会に彼女を招いて演説をさせた。

演説は大事件となった。2000人ほどの聴衆が野外の木立に集まり、バグリーが産業時代の不公平について語るのに耳を傾けた。彼女は工場経営者たちを「ニューイングランドのキノコ貴族」と呼んでこき下ろした。[3] 1日10時間労働をはじめとする労働者保護を求める男性たちの労働組合の闘いに、自分も加わると誓った。それからローウェルガールたちを擁護して、「私たちの権利を踏みにじれば必ず罰が下される」と言った。

バグリーの演説は聴衆を圧倒し、激しい反対を受けて勢いを失っていた労働運動に力を与えた。ある地元紙は彼女を「卓越した才能と実行力を備えた女性」と言い表した。演説が終わると、彼女は「深く心を打たれた群衆全員から大喝采」を受けたと記事は報じている。

ソローかバグリーか

私がこれらの話を持ち出したのは、本書の締めくくりにもう一度19世紀の歴史の一幕に触れる必要があると思っているからではなく、テクノロジーが実現する未来に備えるにあたって、私たちが直面するきわめて重大な選択のよい説明となるからだ。

多くの点で、今日の世界は1845年の世界とよく似ている。新しい強力な機械が産業に革命を起こし、伝統的な制度の安定を揺るがせ、市民生活のあり方を変えた。労働者は時代に取り残されることを懸念し、親は新しいテクノロジーが子どもに与える影響を心配している。野放しの資本主義が新たに膨大な富を生み出しているが、労働者の暮らしぶりは必ずしもよくなっていない。社会は人種、階級、地理にもとづく境界線で分断され、政治家たちは不平等の拡大や企業の腐敗がもたらす危険について警告している。

これらの問題を前にして、私たちには2つの選択肢がある。

ソローのように、抗うのをやめてデバイスのプラグを抜き、現代の暮らしを捨てて、荒野に引っ込むこともできるし、サラ・バグリーと同じ行動をとるという選択肢もある。対話に参加し、テクノロジーの導入を決定する権力構造について詳しく知り、その構造をもっと公平ですぐれた未来へと変えていくこともできるのだ。

個人的に、私はバグリー派だ。ただ機械と闘うのではなく、人間のために闘う道徳的義務が私たちにはあると思っている。そしてテクノロジー労働者でない人にとって、この義務には、AIや自動化を単なる金儲けの手段とするのではなく、人間を解放する力とすべく尽力している倫理的なテクノロジストを支援することも含まれると思う。

私はこの戦略を「反逆者の武装」と呼ぶ。テクノロジーによる搾取への抵抗に暴力を用いるべきだと考えているわけではなく、テクノロジー関連の有力な企業や団体の内部で倫理と透明性を求めて闘っている人たちに、ツールやデータ、そして精神的なサポートという形で武器を差し出すことによって、支援することが大事だと考えるからだ。

実際的なレベルで、この戦略はテクノロジーを利用して人から搾取する体制を一網打尽に打ち壊すよりも有効である可能性が高いと考えている。歴史を見れば、テクノロジーに反対するばかりで、テクノロジーをもっと公平ですぐれたものにするにはどうすべきかというビジョンを示さない者は、たいてい負けている。ラッダイトの労働者たちは、織機を破壊することで歴史の本に名を残したが、産業化の影響を押し戻すことはできなかった。20世紀の半ばに宇宙旅行のアイデアをあざ笑った懐疑派は虚空に向かって悪態をついたが、実際にプロジェクトに携わった人たち（映画『ドリーム』とその原作の書籍で宇宙開発競争への貢献が描かれている、NASAの黒人女性エンジニアのキャサリン・ジョンソン、ドロシー・ボーン、メアリー・ジャクソンのような、正当な評価を受けていないヒーローたちも含めて）[4]は、わが国で最大のテクノロジーによる偉業を成し遂げることができた。インターネットが誕生した当初にそれを悪く言っていた人たちは、自らのすぐれた道徳性に満悦していたかもしれないが、その後の数十年に何十億もの人の暮らしに影響を与えることになるオンライン空間を形づくる機会を逃していたのだった。

私は現代のサラ・バグリーたちからメールやDMをよくもらう。FacebookやAmazon、Googleなどの巨大テクノロジー企業の一般社員が、自分の会社で開発されているツールや職場のやり方に不安を覚えるとか、自社製品の使用で被害が生じた場合に問題を解決できなかったらどうなるか心配だなどと書いてくる。彼らは内部から倫理的な声を上げる役割を最も有効に果たせるのは自分だと信じているが、変化を求める声を外部からさらに強める存在として、ジャーナリストや研究者や活動家の取り組みにも期待しているのだ。

そして大手テクノロジー企業の外で機械を作る人たちのなかにも、私たちが支援するとともに学ぶことのできる立派な人がたくさんいる。

たとえば、非営利団体コード・フォー・アメリカのために働くプロダクトデザイナーのジャズミン・ラティマーはその1人だ。[5] 数年前、ラティマーは「クリア・マイ・レコード」というアプリを考案した。刑事事件で有罪判決を受けたことのある人が一定の条件を満たす場合、自動ソフトウェアを使ってその人の経歴から判決の記録を消去できるというものだ。カリフォルニア州ではこれまでに8000件以上の軽微な薬物犯罪の記録がこのアプリで消去され、服役歴のある数千人の経歴がリセットされている。

23歳のハーバード大学卒業生、ロハン・パブルリもまたその1人だ。[6] 彼は2016年にアップソルブという法律相談の非営利団体を設立した。アップソルブは自動ソフトウェアを使い、連邦破産法第7章の適用申請を支援する。これはアメリカの低所得者が手に負えなくなった債務から解放されて、金銭面で新たなスタートを切ることを可能にする法律だ。このサービスは、すでにアメリカの家族を総額1億2000万ドル以上の債務から救っている。

AI研究者のジョイ・ブォロムウィニとティムニット・ゲブルも、ここで挙げたい人たちだ[7]。彼女たちは広く使われている3つの顔認識アルゴリズムを調べ、濃い肌色の顔を認識させたときには明るい肌色の顔を認識させたときよりも認識の精度がいずれも著しく下がることを明らかにした。この研究を受けて、いくつかの大手テクノロジー企業は自社のAIにバイアスが存在しないか再検証し、自社の機械学習モデルのトレーニングにはもっと人種的多様性に富むデータセットを使うと約束した。

ノンバイナリー（訳注：自分は男性でも女性でもないとする性自認）トランスジェンダーのメディア研究者でMIT教授のサーシャ・コスタンザ＝チョックも、やはり紹介したい1人だ[8]。構造的な不公平を解体し、社会の主流から外れた人のニーズを中心に据えようと明確に試みるプロダクトデザインのやり方として、「デザインの正義」というコンセプトを推進している。コスタンザ＝チョックは顔認識テクノロジーの使用禁止を求め、弱い立場にある人を傷つけるツールの使用に反対する運動の先頭に立っている。たとえば空港でミリ波ボディースキャナーによる身体検査を実施する際、運輸保安局の係員はスキャンする前に旅客の性別を男性か女性かの二者択一で選ばなくてはならない。

私は「グッドテック賞」というコラムを毎年書いていて、この何年かはここに挙げたような人たちを取り上げている。というのは、自社と自社への投資家のために利益を得るだけでなく、幅広く人の助けとなるテクノロジーを開発する励みとなるものを、たとえば新聞記事で取り上げられるといったささやかなものでもいいから、作り出す必要があると思うからだ。

今日のテクノロジーのあるべき姿を模索するなかで、私たちは特にＡＩや自動化によって失うものが最も大きい人たち、たとえば歴史的に疎外されてきたコミュニティーや十分なセーフティーネットをもたない人たちのために、闘う義務があると私は考えている。

また、ＡＩに関する議論をあまりにも遠い未来へと推し進めようとする衝動に抗うことも必要だと思う。私は以前から「隣接可能性」という考え方にとても惹かれている。これは理論生物学者のスチュアート・カウフマンによる用語で、生物有機体が一足飛びではなく徐々に形づくられていく進化のあり方を指す[9]。

この隣接可能性という概念は、テクノロジーの世界にあてはめても役に立つ。この考え方によって、私たちはＳＦの領域を離れて、もっと現実的な結果へと視野を絞ることができるからだ。ロボットが人間の労働をすべて完璧に肩代わりしてくれるから、私たちは日々芸術の創作にいそしんだりビデオゲームに興じたりすればいい、というような世界は、おそらく隣接可能性の範疇にはまだないだろう。しかし機械の知能を利用して炭素の排出を抑制したり、稀少疾患の治療薬を見つけたり、低所得世帯への行政サービスを改善したりといったことができる世界は、すでに隣接可能性の範疇に入ってきているかもしれない。

隣接可能性を探索し、そのなかで最良のものを追求していかれるかどうかは、テクノロジーを愛しながらその利用に不安も抱く私たちしだいだ。

弱気になりすぎてはいけない。不安があっても、私たちが正しいやり方をすれば、ＡＩや自動化は人類にとって信じがたいほどすばらしいものになり得る。このことを忘れてはならない。ＡＩであふれる世界を、人間の創造性や有意義な仕事、確固たるコミュニティーで満ちたものにすることだってできる。それに歴史からわかるとおり、テクノロジーが衝撃をもたらしたあとには、いくらか時間はかかるかもしれないが、社会が進歩するということも忘れてはならない。産業革命が労働者に不安をもたらしたあとには、労働改革と最初の労働者保護制度が実現した。20世紀半ばに自動化への不安が生じたあとには、労働組合の力が拡大することで中流階級の力が強まった。21世紀の最初の10年間で「ギグエコノミー」が広まったことから、請負労働者を搾取から守るために力を合わせようという機運がすでに盛り上がっている。

　私は、デジタルデバイスのプラグを抜いて山の中に逃げ込もうとする人たちを批判はしない。テクノロジーから適度な距離を保ってバランスのとれた生活を送ることは、決して悪くないと思う。しかしテクノロジーを完全に断つことは、私たちの直面する問題への解決策にはならない。また、システムが害をもたらす可能性を阻止するには、そのシステムにかかわる必要があると思う。

　ＡＩが私たちを分断する可能性を見て取るのはたやすい。一方で、ＡＩが私たちを団結させる可能性を見て取るのも難しくない。テクノロジーは私たちに自分自身のことを考えさせ、自分の強みと限界を見極めさせることができる。私たちが前進を続けるための創造的な方法を新たに考える一方で、機械は強靭さと創造性を育むことができる。そしてＡＩと自動化は、新たな強い力を備えた私たちを団結させ、重大な問題を解決させることができるかもしれない。

とはいえ、私たち抜きで、こうしたことが起こりはしないはずだ。未来というのは見て楽しむスポーツではないし、ＡＩも金持ちとボット製作者に託してしまうにはあまりにも重要すぎる。私たちも闘いに加わるべきなのだ。

未来に向けた選択

１８４６年2月21日、サラ・バグリーは労働者の権利を求める演説で群衆を鼓舞してから1年も経たずして、再び歴史に名を残した。[10]

電信装置を発明したことで知られるサミュエル・モールスの仕事仲間が、ボストンからニューヨークまで電信線を敷設する新たな計画に関する調査のために、ローウェルに立ち寄った。この計画ではローウェルに中継施設が必要だということになり、モールスは施設をまかせるのに適した人材を探し始めた。彼はバグリーにこの仕事に関心があるか尋ねた。

バグリーには電信装置を操作した経験がなかった。彼女は工場労働者であり、労働運動の組織者だった。しかも電信装置は最先端の新しい機械なので、特殊な訓練が必要だ。それまでに電信装置を操作したことのある女性はほとんどおらず、女性には無理だろうと考える男性もいた（「女性に秘密が守れるか?」と、ある地元紙は疑問を呈した）。そのうえ、電信にどんな未来が待っているかもまったくわからなかった。

しかしバグリーはリスクを恐れず、挑戦を好んだ。そこでイエスと返答した。年額400ドルの給料で合意し、数週間かけて電信装置の仕組みを学び、仕事に就いた。

バグリーは、あえて転職する必要などなかった。すでにニューイングランドの労働運動における伝説的存在であり、しばらくはその名声に甘んじて暮らすこともできた。

だが、過ぎ去った歴史の1章について語りながら残りの人生を過ごすことは、彼女の望みではなかった。彼女は次の章を書きたかったのだ。

謝辞

本の執筆はまだ自動化できない。だから、本書の刊行にあたって親切に助けてくださったたくさんの人たちにお礼を言いたい。

サポートやアドバイスをくれて、寛容さを示してくれた『ニューヨーク・タイムズ』の同僚たちに感謝する。A・G・サルツバーガー、ディーン・バケット、ジョー・カーン、レベッカ・ブルーメンスタイン、サム・ドルニック、エレン・ポロック、プイウィン・タム、ジョー・プラムベック、マイク・アイザック、ネリー・ボールズ、ナタリー・キトロフ、ケイド・メッツ、カラ・スウィッシャー、リサ・トービン、マイケル・バーバロ、アンディー・ミルズ、ラリッサ・アンダーソン、ウェンディー・ドーア、ジュリア・ロンゴリア、シンドゥ・ナナサンバンダン、ほかにもさまざまな形で助けてくれた数えきれない人たちに。

本書の可能性を見出し、完成へと導いてくれた編集者のベン・グリーンバーグ、そしてランダムハウスのチームのメンバーであるアイレット・グルエンスペクト、モリー・ターピン、グレッグ・クービーに感謝する。ＩＣＭパートナーズのスローン・ハリスとカリ・スチュアートは、いつもながら忍耐強く思慮深い相談相手となってくれた。レイチェル・ゴーゲルは、本書でもまたすばらしい表紙をデザインしてくれた。

取材に応じ、参考資料を教示し、初期の草稿に目を通してくれた情報提供者と専門家の皆さんに感謝する。特にロイ・バハット、キャサリン・プライス、ジェシカ・オルター、Ａ・Ｊ・ジェイコブズ、本当にありがとう。

初期に貴重なフィードバックをくれた、トリ・ジューズとウェストタウンスクールの生徒の皆さんに感謝する。

編集作業、オフィススペース、心の支えをはじめとして、さまざまな支援を提供してくれた友人と家族に感謝する。ポール・ルース、アン・ローレンス、ニコール・インガー、アーロン・フリードマン、アレクシス・マドリガル、アンドリュー・マランツ、サラ・ラストベイダー、エアリエル・ワーナー、アリ・サビツキー、ケイト・リー、キャロライン・ランドー、アレックス・ゴールドバーグ、ほかにも私が失念しているに違いないたくさんの人たちに。

私が「もう本は書かない」という約束を破ってもなお愛情とサポートを与えてくれた身近な家族、ダイアナ・ルース、カール・ルース、ジュリア・スローカムに感謝する。それから、ライターになればと最初に勧めてくれた、今は亡き2人の身内、２０１８年に亡くなった父カーク・ルースと2020年に亡くなった祖母グレートヘン・ルースの思い出に感謝する。祖母は本書の編集作業中に亡くなったが、生きていればきっとすべての知り合いにこの本を贈ってくれただろう。

最後になったが、私が人間であることに日々このうえもない喜びを感じさせてくれるパートナーで配偶者のトーバ・アッカーマンに、計り知れない感謝の思いを伝えたい。

付録

未来に備える計画を立てる

本書で示したアドバイスのほとんどは、個々の状況にかかわらずさまざまなタイプの人の役に立つように、広く適用しやすいルールの形をとっている。これは私が意図したことである。読者が一般的なルールを求めていて、本書でそれを手に入れられたなら、それはすばらしい！

一方で、もう少し具体的なものをお望みなら、少し時間をかけて計画を立てることをお勧めする。

どんな形にするかは自由だ。小さな目標を並べた短期のリストがいいという人もいるだろうし、もっと長期的な変革を目指したいという人もいるだろう。目標を設定すること自体が好きでない人もいて、そういう人は毎日１つか２つの事柄を思い出すだけのほうがいいかもしれない（私の友人は、「もっと水を飲め」とか「ツイッターでダサい発言をするな」といった注意喚起の言葉を付箋に書いてパソコン画面に貼っている）。

私自身は、達成しやすい短期の目標を設定するのが好きだ。だからルール1（「意外性、社会性、稀少性をもつ」）については、3×3の枠を作り、それぞれのマスに私の生活を構成する3つの領域（家庭、職場、コミュニティー）のいずれかに関する目標を記入した。それが下の表だ。

本書で紹介した他の8つのルールについても、目標をいくつか考えた。私の現在のリストは次のようになっている。

	意外性	社会性	稀少性
家庭	特に理由がなくても花を持って帰る	何年も話していない古い友人に電話する	自分の知っている人が誰も読んでいない本を読む
職場	テクノロジー以外のセクションの記事を書く	バーチャル懇親会を企画する	ニュースホイップ（『ニューヨーク・タイムズ』の記者で使っている人がほとんどいないソーシャルメディア分析ツール）をマスターする
コミュニティー	夜に「ポットホール自警団」（市に無断で夜陰に乗じて道路の陥没した穴を修復するオークランド市民の団体）に同行する	近所の人たちのために夕食会を開く	緊急時対策教室に申し込む

ルール2：機械まかせに抗う

○YouTubeの「おすすめ」を無効にし、買い物は可能な限りいつでも実店舗でする

○「ヒューマンアワー」を守る

○毎日瞑想する

ルール3：デバイスの地位を下げる

○1日のスマホ使用時間を1時間半以下にする

○日曜日はメールをやらない

○キャサリン・プライスの30日間プログラムを必要に応じて年1回繰り返す

ルール4：痕跡を残す

○毎週1通、手書きの手紙を出す

○ジャーナリズム専攻の学生を指導する

○同僚の仕事がいいと思ったら、ポジティブな感想を詳しく書いて本人に送る

ルール5：エンドポイントにならない

○ステラをチェックするのをやめる（ステラというのは『ニューヨーク・タイムズ』社内の分析ダッシュボードである。編集者に有用なツールだが、自分の記事の閲覧数が気になるあまり、閲覧数が稼げるとわかっている記事しか書きたくなくなるという弊害が生じる可能性がある）

○金曜日の午後は読書と新たな情報源の開拓に充てる

○週に3日は出勤する（パンデミックの状況が許す限り）

ルール6：AIをチンパンジーの群れのように扱う

○ベイエリアでアルゴリズムが刑事司法制度にどんな影響を与えているか調査する

○機械学習のオンライン講座を受講する

○『ニューヨーク・タイムズ』のチーフデータサイエンティストに会って、わが社のアプリやウェブサイトでアルゴリズムによるおすすめがどんなふうに使われているか聞く

ルール7：ビッグネットとスモールウェブを用意する

○近所の人たちのために町内パーティーを開く
○クエーカーの会合に参加する
○『ニューヨーク・タイムズ』の労働組合「ニュース・ギルド」にもっとかかわる

ルール8：機械時代の人間性を理解する

○もっと人をほめる
○ソーシャルメディアで記事を共有する前に全体を読む
○週に最低1回は昼寝する

ルール9：反逆者を武装する

○デジタルプラットフォームをもっと公共スペースのように機能させる活動に取り組んでいる研究者と活動家のグループ「シビック・シグナルズ」に会いに行く
○記事で引用する非白人・非男性の情報提供者の人数を増やす（これは同僚のベン・キャセルマンから無断で拝借したアイデアだ。彼は自分の書いた記事の「多

様性監査」を毎年やって、名前を明記した情報提供者のなかで女性と有色の人が十分な割合で登場していることを確認している）

○重大な社会問題の解決に取り組むテクノロジー分野の非営利団体を支援するアクセラレーター「ファスト・フォワード」に寄付する

これらの目標はとうてい誰にでもあてはまるものではない。読者の作ったものはおそらくまったく違うだろう。私の目標のなかにはＡＩや自動化とはまったく無関係な、むしろ一般的な自己啓発のアドバイスみたいなものがたくさんあることにも気づかれるだろう。そこが大事な点なのだ。テクノロジーによる変化を生き延びる方法が、もっと人間らしくなることならば、私たちがすべきことの多くは、すでに衰えてしまったかもしれない基本的なスキルをもとの状態に戻したり取り戻したりすることとなるはずだ。

私の場合、将来に備える計画というのは、自分の行動に責任をもち、日々の選択が意味をなしているのを確かめる1つの方法となっている。もっと人間らしい自分へ向かう進歩の度合いを測る方法でもある。私が読者に望むのは、自分の計画を立てる場合、仕事だけでなく生活全体にかかわるものにしてほしいということだけだ。将来に備えるということは、ただ仕事を失わないというだけでなく、自分の心と人間らしい自律性に対するコントロールを取り戻すことなのだ。

図書リスト

ＡＩと自動化に関する本を書く際に困るのは、すでにたくさんのすぐれた書き手が書いているということだ。だが、それはありがたいことでもある。すでに私の尊敬するたくさんの書き手がこれらのテクノロジーのもたらす未来について説明するという難題に挑んでいるので、このテーマについてもっと知りたいという読者は、たくさんのすばらしい本のなかから選ぶことができる。

私がＡＩや自動化、そして未来の概要というテーマについて考えるにあたり、特にたくさんの情報を私に与えてくれた本をここで何冊か紹介したい。ロボットをテーマとした書棚を作ろうとしている人には、これらの本からスタートすることをお勧めする。

▽*Artificial Unintelligence* by Meredith Broussard (2018).（『ＡＩには何ができないか：データジャーナリストが現場で考える』メレディス・ブルサード著、北村京子訳、作品社、

２０１９年）経験豊富なデータジャーナリストでニューヨーク大学教授のブルサードが、ＡＩの弱点や限界を巧みに紹介する。本書はブルサードの指南する「技術至上主義（テクノショービニズム）」への強烈な反論となる。

▽*The Second Machine Age* by Erik Brynjolfsson and Andrew McAfee (2014).（『ザ・セカンド・マシン・エイジ』エリック・ブリニョルフソン＆アンドリュー・マカフィー著、村井章子訳、日経ＢＰ社、２０１５年）２人のＭＩＴ教授によるこの本は、時代を何年も先取りしていた。私はこの本を何度も読み返している。

▽*Humans Are Underrated* by Geoff Colvin (2015).（邦訳なし）『フォーチュン』誌で長く記者と編集者を務めてきたコルビンが、人間らしいスキルのもつ経済的価値について説得力のある議論を展開する。

▽*Human + Machine* by Paul R. Daugherty and H. James Wilson (2018).（『人間＋マシン：ＡＩ時代の８つの融合スキル』ポール・Ｒ・ドーアティ＆Ｈ・ジェームズ・ウィルソン著、小林啓倫訳、東洋経済新報社、２０１８年）ＡＩと自動化の専門家としてコンサルティング会社アクセンチュアで働く２人のインサイダーによる、おおむね楽観的な企業自動化論。

▽*Mind over Machine* by Hubert L. Dreyfus and Stuart E. Dreyfus (1985).（『純粋人工知能批判：コンピュータは思考を獲得できるか』ヒューバート・L・レイファス&スチュアート・E・ドレイファス著、椋田直子訳、アスキー、1987年）哲学教授（ヒューバート）と工学教授（スチュアート）の兄弟による著作。デジタルテクノロジーの限界に関する問いに答えようとした初期の試み。

▽*Rise of the Robots* by Martin Ford (2015).（『ロボットの脅威：人の仕事がなくなる日』マーティン・フォード著、松本剛史訳、日経ビジネス人文庫、2018年）誰よりも長くロボット時代に着目してきたジャーナリストによる、とっつきやすく明快だがいささか恐怖も感じさせるロボット時代の展望。

▽*The Technology Trap* by Carl Benedikt Frey (2019).（『テクノロジーの世界経済史：ビル・ゲイツのパラドックス』カール・B・フレイ著、村井章子&大野一訳、日経BP、2020年）オックスフォード大学の経済学者がテクノロジーによる変化の歴史を骨太に描き、新しい研究を紹介するとともに通念に異議を申し立てる結論を提示している。

▽*AI Superpowers* by Kai-Fu Lee (2018).（『AI世界秩序：米中が支配する「雇用なき未来」』李開復著、上野元美訳、日経BPマーケティング、2020年）AI業界の経験豊富なリーダーでベンチャー投資家でもある李は、AIと人間性について語る新たな言語を私に与えるとともに、中国のAI市場を眺める貴重な窓を開いてくれた。

▽*Machines of Loving Grace* by John Markoff (2015).（『人工知能は敵か味方か』ジョン・マルコフ著、瀧口範子訳、日経BP、2016年）伝説的なテクノロジージャーナリストで『ニューヨーク・タイムズ』でかつて私の同僚でもあったマルコフは、AIの世界を知りたい人には欠かせない案内人で、AIの設計の舞台裏に存在する人や理念を解説してくれる。

▽*Forces of Production* by David F. Noble (1984). 第2次世界大戦後の自動化の様相を検証する本書は、私が産業自動化の文化について考えるのに不可欠だった。ノーブルはすぐれた書き手で卓越した歴史学者でもあり、自動化が企業の生産性を上げるためだけでなく、労働者に対して権威を振るうためのツールとしても利用されていることを力強く訴えている。

▽*Technopoly* by Neil Postman (1992).（『技術vs人間：ハイテク社会の危険』ニール・ポストマン著、GS研究会訳、新樹社、1994年）卓越した技術批評家による古典的著作。

著者はテクノロジーがさまざまな形で私たちの人間性を脅かし得ることを予見している。

▽*How to Break Up with Your Phone* by Catherine Price (2018).（邦訳なし）私のスマホデトックスのコーチが書いた、人生が変わる本。キャサリンの30日間スマホデトックスプランで私とスマホとの関係が一変し、私は自分が機械に譲り渡していたセルフコントロールについて考えるようになった。私はこの本を数えきれないほど買って友人や家族に贈っている。

▽*Inside the Robot Kingdom* by Frederik L. Schodt (1988).（邦訳なし）これも１９８０年代の自動化を扱った興味深い本。日本とそこで容赦なく進んだ工場ロボット化の文化を描いている。

▽*You Look Like a Thing and I Love You* by Janelle Shane (2019).（『おバカな答えもＡＩ（あい）してる：人工知能はどうやって学習しているのか？』ジャネル・シェイン著、千葉敏生訳、光文社、２０２１年）著名なＡＩ研究者によるすぐれた入門書。機械学習に関する本を読んで笑うという経験を私に与えてくれた数少ない1冊。

▽*Future Shock* by Alvin Toffler (1970).（『未来の衝撃』Ａ・トフラー著、徳山二郎訳、中央

公論社、1982年）未来信奉の熱狂に火をつけた本。今でもなおテクノロジーによる変化が心に与える影響を取り上げた名著の座を守り続けている。

▽*The Human Use of Human Beings* by Norbert Wiener（1950）（『人間機械論：人間の人間的な利用』ノーバート・ウィーナー著、鎮目恭夫、&池原止戈夫訳、みすず書房、2014年）機械をめぐる倫理を論じた書。著者は私が最もあがめるテクノロジー思想家の1人である。

▽*In the Age of the Smart Machine* by Shoshana Zuboff（1988）.（邦訳なし）ズボフは最近では『監視資本主義：人類の未来を賭けた闘い』の著者としてよく知られているが、こちらの前著では1980年代の第1次ITブームのさなかに仕事の未来を予想していた。

7. Kevin Roose, "The 2019 Good Tech Awards,"*New York Times,* December 30, 2019.
8. Sasha Costanza-Chock, *Design Justice: Community-Led Practices to Build the Worlds We Need* (Boston: MIT Press, 2020).
9. Stuart Kauffman, *The Origins of Order: Self-Organization and Selection in Evolution* (New York: Oxford University Press, 1993).
10. Madeleine B. Stern, *We the Women: Career Firsts of Nineteenth-Century America* (Lincoln, Neb.: Bison Books, 1994).

12. Niraj Chokshi, "Older People Shared Fake News on Facebook More Than Others in 2016 Race, Study Says," *New York Times,* January 10, 2019.
13. Monica Bulger and Patrick Davison, "The Promises, Challenges, and Futures of Media Literacy," *Journal of Media Literacy Education* (2018).
14. Frank Chen, "Humanity + AI: Better Together," Andreessen Horowitz (blog), February 22, 2019.
15. Damon E. Jones, Mark Greenberg, and Max Crowley, "Early Social-Emotional Functioning and Public Health: The Relationship Between Kindergarten Social Competence and Future Wellness," *American Journal of Public Health* (2015).
16. Rebecca D. Taylor, Eva Oberle, Joseph A. Durlak, and Roger P. Weissberg, "Promoting Positive Youth Development Through School-Based Social and Emotional Learning Interventions: A Meta-Analysis of Follow-Up Effects," *Child Development* (2017).
17. *The Daily* podcast, "Jack Dorsey on Twitter's Mistakes," *New York Times,* Augst 7, 2020.
18. Erin Hudson, "An Inside Look at the 'Not Secretive but Modestly Discrete' Iron Ring Ritual for Canadian Trained-Engineers," *The Sheaf,* January 10, 2013.

ルール9　反逆者を武装する

1. Henry David Thoreau, *Walden, Civil Disobedience, and Other Writings*(New York: W. W. Norton, 2008).（*Walden* の邦訳は『ウォールデン森の生活』ヘンリー・D・ソロー著、今泉吉晴訳、小学館文庫など多数）
2. Cara Giaimo, "Sarah Bagley, the Voice of America's Early Women's Labor Movement," *Atlas Obscura,* March 8, 2017.
3. Philip Dray, *There Is Power in a Union: The Epic Story of Labor in America* (New York: Anchor Books, 2011).
4. Margot Lee Shetterly, *Hidden Figures: The American Dream and the Untold Story of the Black Women Mathematicians Who Helped Win the Space Race* (New York: William Morrow, 2016).（『ドリーム：NASA を支えた名もなき計算手たち』マーゴット・リー・シェタリー著、山北めぐみ訳、ハーパーコリンズ・ジャパン）
5. Vanessa Taylor, "This Founder Is Using Technology to Clear Criminal Records," *Afrotech,* February 22, 2019.
6. Kevin Roose, "The 2018 Good Tech Awards," *New York Times*, December 21, 2018.

Economic Forum, January 22, 2019.
6. Erin Griffith, “Airbnb Was Like a Family. Until the Layoffs Started,” *New York Times,* July 17, 2020.
7. Sarah Fielding, “Accenture and Verizon Lead Collaborative Effort to Help Furloughed or Laid-Off Workers Find a New Job,” *Fortune,* April 14, 2020.
8. David E. Nye, *Electrifying America: Social Meaning of a New Technology* (Cambridge, Mass.: MIT Press, 1990).

ルール８　機械時代の人間性を理解する

1. Daniel Goleman, *Focus: The Hidden Driver of Excellence* (New York: A&C Black, 2013).（『フォーカス』ダニエル・ゴールマン著、土屋京子訳、日本経済新聞出版社）
2. Mengran Xu et al., “Mindfulness and Mind Wandering: The Protective Effects of Brief Meditation in Anxious Individuals,” *Consciousness and Cognition* (2017).
3. Yuval Noah Harari, *21 Lessons for the 21st Century* (New York: Spiegel & Grau, 2018).（『21 lessons：21 世紀の人類のための 21 の思考』ユヴァル・ノア・ハラリ著、柴田裕之訳、河出文庫）
4. “Listen: You Are Worthy of Sleep,” *Social Distance* podcast, April 30, 2020.
5. William D. S. Killgore et al., “The Effects of 53 Hours of Sleep Deprivation on Moral Judgment,” *Sleep* (2007).
6. William D. S. Killgore et al., “Sleep Deprivation Reduces Perceived Emotional Intelligence and Constructive Thinking Skills,” *Sleep Medicine* (2007).
7. Yvonne Harrison and James A. Horne, “Sleep Deprivation Affects Speech,” *Sleep* (2010).
8. Aki Tanaka and Trent Sutton, “Significant Changes to Japan's Labor Laws Will Take Effect in April 2019: Are You Prepared?,” *Littler,* February 12, 2019.
9. Alanna Petroff and Océane Cornevin “France Gives Workers ‘Right to Disconnect’ from Office Email,” CNN, January 2, 2017.
10. John Michael Baglione, “Countering College's Culture of Sleeplessness,” *Harvard Gazette,* August 24, 2018.
11. Sarah McGrew et al., “Can Students Evaluate Online Sources? Learning from Assessments of Civic Online Reasoning,” *Theory & Research in Social Education* (2018).

6. Casey Ross and Ike Swetlitz, "IBM's Watson Supercomputer Recommended 'Unsafe and Incorrect' Cancer Treatments, Internal Documents Show," Stat, July 25, 2018.
7. Rashida Richardson, Jason M. Schultz, and Kate Crawford, "Dirty Data, Bad Predictions: How Civil Rights Violations Impact Police Data, Predictive Policing Systems, and Justice," *New York University Law Review,* Online Feature (2019).
8. Julia Angwin, Jeff Larson, Surya Mattu, and Lauren Kirchner, "Machine Bias," ProPublica, May 23, 2016.
9. Martin Ford, *Architects of Intelligence: The Truth About AI from the People Building It* (Birmingham, U.K.: Packt Publishing, 2018).（『人工知能のアーキテクトたち：AIを築き上げた人々が語るその真実』Martin Ford 著、松尾豊監訳、水原文訳、オライリー・ジャパン）
10. Dana Hull, "Musk Says Excessive Automation Was 'My Mistake,'" Bloomberg, April 13, 2018.
11. John R. Allen and Darrell M. West, *Turning Point: Policymaking in the Era of Artificial Intelligence* (Washington, D.C.: Brookings Institution Press, 2020).
12. "Booker, Wyden, Clarke Introduce Bill Requiring Companies to Target Bias in Corporate Algorithms," Senator Booker's official site, April 10, 2019.
13. "Chicago Police Drop Clearview Facial Recognition Technology," Associated Press, May 29, 2020.
14. Erin Winick, "This Company Audits Algorithms to See How Biased They Are," *MIT Technology Review,* May 9, 2018.

ルール7　ビッグネットとスモールウェブを用意する

1. Kevin Roose, "The Life, Death, and Rebirth of BlackBerry's Hometown," *Fusion,* February 8, 2015.
2. Frederik L. Schodt, *Inside the Robot Kingdom: Japan, Mechatronics, and the Coming Robotopia* (New York: Harper & Row, 1988).
3. Peter S. Goodman, "The Robots Are Coming, and Sweden Is Fine," *New York Times,* December 27, 2017.
4. Richard Rubin, "The Robot Tax Debate Heats Up," *Wall Street Journal,* January 8, 2020.
5. "Towards a Reskilling Revolution: Industry-Led Action for the Future of Work," World

13. Kevin Stankiewicz, "Adobe CEO Says Offices Provide Some Boost to Productivity That Remote Work Lacks," CNBC, August 11, 2020.
14. Joe Flint, "Netflix's Reed Hastings Deems Remote Work 'a Pure Negative,' " *Wall Street Journal,* September 7, 2020.
15. Jerry Useem, "When Working from Home Doesn't Work," *The Atlantic,* November 2017.
16. Kyungjoon Lee, John S. Brownstein, Richard G. Mills, and Isaac S. Kohane, "Does Collocation Inform the Impact of Collaboration?," *PLoS ONE* (2010).
17. Tammy D. Allen, Timothy D. Golden, and Kristen M. Shockley, "How Effective Is Telecommuting? Assessing the Status of Our Scientific Findings," *Psychological Science in the Public Interest* (2015).
18. Steve Henn, "'Serendipitous Interaction' Key to Tech Firms' Workplace Design," NPR, March 13, 2013.
19. Sid Sijbrandij, "'Virtual Coffee Breaks' Encourage Remote Workers to Interact Like They Would in an Office," *Quartz,* December 6, 2017.
20. Ben Johnson, "How Well Do You Really Know Your Coworkers? A Virtual Company Shares All," Seeq Culture Blog, May 15, 2018.
21. Matt Mullenweg, "The Importance of Meeting In-Person," Unlucky in Cards (blog), October 16, 2018.

ルール6　AIをチンパンジーの群れのように扱う

1. Mariel Padilla, "Facebook Apologizes for Vulgar Translation of Chinese Leader's Name," *New York Times,* January 18, 2020.
2. Eric Limer, "Amazon Blocks the Sale of Gross, Auto-Generated 'Keep Calm and Rape Her' Shirts," *Gizmodo,* March 2, 2013.
3. Barry Libert, Megan Beck, and Thomas H. Davenport, "Self-Driving Companies Are Coming," *MIT Sloan Management Review,* August 29, 2019.
4. Janelle Shane, *You Look Like a Thing and I Love You* (New York: Headline, 2019).(『おバカな答えもAI(あい)してる:人工知能はどうやって学習しているのか?』ジャネル・シェイン著、千葉敏生訳、光文社)
5. Nathaniel Popper, "Knight Capital Says Trading Glitch Cost It $440 Million," *New York Times,* August 2, 2012.

のマーケティング戦略』B・J・パイン・II & J・H・ギルモア著、岡本慶一・小高尚子訳、ダイヤモンド社ほか)

17. Kevin Roose, "Best Buy's Secrets for Thriving in the Amazon Age," *New York Times,* September 18, 2017.
18. Hannah Wallace, "This Ceramics Company Had a Cult Following but No Money. Then, 2 New Owners Brought It Back from the Brink," *Inc.,* July/August 2019.

ルール5　エンドポイントにならない

1. Khristopher J. Brooks, "Why Automation Could Hit Black Workers Harder Than Other Groups," CBS News, October 10, 2019.
2. Chris Welch, "Google Just Gave a Stunning Demo of Assistant Making an Actual Phone Call," *The Verge,* May 8, 2018.
3. 2018年5月8日、@chrismes-sinaによるツイート。
4. Martin Ford, *Rise of the Robots: Technology and the Threat of Mass Unemployment* (London: OneWorld Publications, 2015).(『ロボットの脅威:人の仕事がなくなる日』マーティン・フォード著、松本剛史訳、日本経済新聞出版社)
5. Atul Gawande, "Why Doctors Hate Their Computers," *The New Yorker,* November 12, 2018.
6. Emily Silverman, "Our Hospital's New Software Frets About My 'Deficiencies,'" *New York Times,* November 1, 2019.
7. Catherine M. DesRoches et al., "Electronic Health Records in Ambulatory Care — A National Survey of Physicians," *New England Journal of Medicine* (2008).
8. Gwynn Guilford, "GM's Decline Truly Began with Its Quest to Turn People into Machines," *Quartz,* December 30, 2018.
9. Peter Herman, *In the Heart of the Heart of the Country: The Strike at Lordstown* (Greenwich, Conn.: Fawcett, 1975).
10. Bennett Kremen, "Lordstown — Searching for a Better Way of Work," *New York Times,* September 9, 1973.
11. Agis Salpukas, "Workers Increasingly Rebel Against Boredom on Assembly Line," *New York Times,* April 2, 1972.
12. "Gartner Survey Reveals 82% of Company Leaders Plan to Allow Employees to Work Remotely Some of the Time," Gartner, July 14, 2020.

ルール4　痕跡を残す

1. Shusuke Murai, "Hands- on Toyota Exec Passes Down Monozukuri Spirit," *Japan Times,* April 15, 2018.
2. "The Automation Jobless," *Time,* February 24, 1961.
3. Rick Wartzman, "The First Time America Freaked Out over Automation," *Politico,* May 30, 2017.
4. "Toyota's 'Oyaji' Kawai Calls to Protect Monozukuri," *Toyota News,* June 17, 2020.
5. Frederick Winslow Taylor, *The Principles of Scientific Management*（New York: Harper & Brothers, 1915）.（『新訳科学的管理法：マネジメントの原点』フレデリック・W・テイラー著、有賀裕子訳、ダイヤモンド社など）
6. Ted Fraser, "I Spent a Week Living Like Gary Vaynerchuk," *Vice*, December 17, 2018.
7. Catherine Clifford, "Elon Musk on Working 120 Hours in a Week: 'However Hard It Was for［the Team］, I Would Make It Worse for Me,' " CNBC, December 10, 2018.
8. Max Chafkin, "Yahoo's Marissa Mayer on Selling a Company While Trying to Turn It Around," *Bloomberg Businessweek,* August 4, 2016.
9. Derek Thompson, "Workism Is Making Americans Miserable," *The Atlantic,* February 24, 2019.
10. "Yann LeCun — Power & Limits of Deep Learning," accessed on YouTube, October 4, 2020.
11. Derrick Wirtz, Justin Kruger, William Altermatt, and Leaf Van Boven, "The Effort Heuristic," *Journal of Experimental Social Psychology*（2004）.
12. Adam Waytz, *The Power of Human: How Our Shared Humanity Can Help Us Create a Better World*（New York: W. W. Norton, 2019）.
13. Kurt Gray, "The Power of Good Intentions: Perceived Benevolence Soothes Pain, Increases Pleasure, and Improves Taste," *Social Psychological and Personality Science*（2012）.
14. Timothy B. Lee, "Automation Is Making Human Labor More Valuable Than Ever," *Vox,* September 26, 2016.
15. Glenn Fleishman, "How Facebook Devalued the Birthday," *Fast Company,* April 6, 2018.
16. B. Joseph Pine II and James H. Gilmore, *The Experience Economy: Competing for Customer Time, Attention, and Money,* revised edition（Boston: Harvard Business Review Press, 2019）.（旧版の邦訳として『［新訳］経験経済：脱コモディティ化

14. Brenden Mulligan, "Reduce Friction, Increase Happiness," *TechCrunch,* October 16, 2011.
15. Brittany Darwell, "Facebook's Frictionless Sharing Mistake," *Adweek,* January 22, 2013.
16. Jeff Bezos, "2018 Letter to Shareholders," Amazon.com, 2018.
17. Arik Jenkins, "Why Uber Doesn't Want a Built-In Tipping Option," *Fortune,* April 18, 2017.
18. Tim Wu, "The Tyranny of Convenience," *New York Times,* February 16, 2018.

ルール３　デバイスの地位を下げる

1. Adam Smith, *The Wealth of Nations* (1776). (『国富論』アダム・スミス著、大河内一男訳、中公文庫など)
2. Sherry Turkle, *Reclaiming Conversation: The Power of Talk in a Digital Age* (New York: Penguin, 2015). (『一緒にいてもスマホ』シェリー・タークル著、日暮雅通訳、青土社)
3. Ryan J. Dwyer, Kostadin Kushlev, and Elizabeth W. Dunn, "Smartphone Use Undermines Enjoyment of Face-to-Face Social Interactions," *Journal of Experimental Social Psychology* (September 2018).
4. Philippe Verduyn et al., "Passive Facebook Usage Undermines Affective Well-Being: Experimental and Longitudinal Evidence," *Journal of Experimental Psychology* (2015).
5. Moira Burke and Robert E. Kraut, "The Relationship Between Facebook Use and Well-Being Depends on Communication Type and Tie Strength," *Journal of Computer-Mediated Communication* (2015).
6. Kevin Roose, "Do Not Disturb: How I Ditched My Phone and Unbroke My Brain," *New York Times,* February 23, 2019.
7. Timothy D. Wilson et al., "Just Think: The Challenges of the Disengaged Mind," *Science* (2014).
8. Jenny Odell, *How to Do Nothing: Resisting the Attention Economy* (New York: Melville House, 2019). (『何もしない』ジェニー・オデル著、竹内要江訳、早川書房)

J. Watson, 1840).

ルール2　機械まかせに抗う

1. *Player Piano* (New York: Scribner, 1952)(『プレイヤー・ピアノ』カート・ヴォネガット・ジュニア著、浅倉久志訳、早川文庫)より。
2. Douglas B. Terry, "A Tour Through Tapestry," *Proceedings of the 1993 ACM Conference on Organizational Computing Systems* (1993).
3. Michael Schrage, *Recommendation Engines* (Boston: MIT Press, 2020).(『レコメンデーション・エンジン』マイケル・シュレージ著、杉山千枝・山上裕子訳、ニュートンプレス)
4. Paresh Dave, "YouTube Sharpens How It Recommends Videos Despite Fears of Isolating Users," Reuters, November 28, 2017.
5. Amit Sharma, Jake M. Hofman, and Duncan J. Watts, "Estimating the Causal Impact of Recommendation Systems from Observational Data," *Proceedings of the 2015 ACM Conference on Economics and Computation* (2015).
6. Devindra Hardawar, "Spotify's Discover Weekly Playlists Have 40 Million Listeners," *Engadget,* May 25, 2016.
7. Ashley Rodriguez, "'Because You Watched': Netflix Finally Explains Why It Recommends Titles That Seem to Have Nothing in Common," *Quartz,* August 22, 2017.
8. Gediminas Adomavicius, Jesse C. Bockstedt, Shawn P. Curley, and Jingjing Zhang, "Effects of Online Recommendations on Consumers' Willingness to Pay," *Information Systems Research* (2017).
9. Christian Sandvig, "Corrupt Personalization," *Social Media Collective,* June 26, 2014.
10. Steve Lohr, "Sure, Big Data Is Great. But So Is Intuition," *New York Times,* December 29, 2012.
11. Alex Kantrowitz, "Facebook Is Still Prioritizing Scale over Safety," *BuzzFeed News,* December 17, 2019.
12. Camille Roth, Algorithmic Distortion of Informational Landscapes," *Intellectica* (2019).
13. Brent Smith and Greg Linden, "Two Decades of Recommender Systems at Amazon.com," *IEEE Computer Society* (2017).

4. Rita Price, "New Computer System Causing Confusion, Benefit Delays for Ohio Food-stamp Recipients," *Columbus Dispatch,* January 21, 2019.
5. Colin Lecher, "What Happens When an Algorithm Cuts Your Healthcare," *The Verge,* March 21, 2018.
6. James Phillips, "Announcing RPA, Enhanced Security, No-Code Virtual Agents, and More for Microsoft Power Platform," Microsoft Dynamics 365 (blog), November 4, 2019.
7. Craig Le Clair, *Invisible Robots in the Quiet of the Night: How AI and Automation Will Restructure the Workforce* (Forrester, 2019).
8. Daron Acemoglu and Pascual Restrepo, "Automation and New Tasks: How Technology Displaces and Reinstates Labor," *Journal of Economic Perspectives* (2019).

第2部　ルール

ルール1　意外性、社会性、稀少性をもつ

1. William Lovett, *Life and Struggles of William Lovett, in His Pursuit of Bread, Knowledge, and Freedom* (Knopf, 1876).
2. Lance Ulanoff, "Need to Write 5 Million Stories a Week? Robot Reporters to the Rescue," *Mashable,* July 1, 2014.
3. Steve Lohr, "In Case You Wondered, a Real Human Wrote This Column," *New York Times,* September 10, 2011.
4. Hannah Kuchler, "How Silicon Valley Learnt to Love the Liberal Arts," *Financial Times Magazine,* October 31, 2017.
5. Vinod Khosla, "Is Majoring in Liberal Arts a Mistake for Students?," *Medium,* February 10, 2016.
6. Scott Jaschik, "Obama vs. Art History," *Inside Higher Education,* January 21, 2014.
7. Kevin Hartnett, "Machine Learning Confronts the Elephant in the Room," *Quanta Magazine,* September 20, 2018.
8. Maria Popova, "Networked Knowledge and Combinatorial Creativity," Brain Pickings, August 1, 2011.
9. William Lovett and John Collins, *Chartism: A New Organization of the People* (London:

Business Review Press, 2020).

第4章　上司はアルゴリズム

1. David Noble, *Forces of Production: A Social History of Industrial Automation* (New York: Knopf, 1984).
2. Kevin Roose, "A Machine May Not Take Your Job, but One Could Become Your Boss," *New York Times,* June 23, 2019.
3. Colin Lecher, "How Amazon Automatically Tracks and Fires Warehouse Workers for 'Productivity,' " *The Verge,* April 25, 2019.
4. Tristan Greene, "IBM Is Using Its AI to Predict How Employees Will Perform," *TheNextWeb,* July 10, 2018.
5. Hazel Sheffield, "The Great Data Leap: How AI Will Transform Recruitment and HR," *Financial Times,* November 4, 2019.
6. Daisuke Wakabayashi, "Firm Led by Google Veterans Uses AI to 'Nudge' Workers Toward Happiness," *New York Times,* December 31, 2018.
7. Kevin Roose, "After Uproar, Instacart Backs Off Controversial Tipping Policy," *New York Times,* February 6, 2019.
8. Mareike Möhlmann and Ola Henfridsson, "What People Hate About Being Managed by Algorithms, According to a Study of Uber Drivers," *Harvard Business Review,* August 30, 2019.

第5章　凡庸なボットに注意せよ

1. Bauserman v. Unemployment Ins. Agency, Case No. 333181 (Michigan Supreme Court, 2018).
2. Virginia Eubanks, *Automating Inequality: How High-Tech Tools Profile, Police, and Punish the Poor* (New York: St. Martin's Press, 2018) .(『格差の自動化：デジタル化がどのように貧困者をプロファイルし、取締り、処罰するか』ヴァージニア・ユーバンクス著、ウォルシュあゆみ訳)
3. "Computer Glitch May Have Cost Thousands Their Benefits," *Orange County Register,* March 2, 2007.

11. Nathaniel Popper, "The Robots Are Coming for Wall Street," *New York Times Magazine,* February 25, 2016.
12. Alfred Liu, "Robots to Cut 200,000 U.S. Bank Jobs in Next Decade, Study Says," Bloomberg, October 1, 2019.
13. Laura Yan, "Chinese AI Beats Doctors in Diagnosing Brain Tumors," *Popular Mechanics,* July 14, 2018.
14. Jameson Merkow et al., "DeepRadiologyNet: Radiologist Level Pathology Detection in CT Head Images," *ArXiv* preprint (2017).
15. Jonathan Marciano, "20 Top Lawyers Were Beaten by Legal AI. Here Are Their Surprising Responses," *Hacker Noon,* October 25, 2018.
16. Tom Simonite, "Google's AI Experts Try to Automate Themselves," *Wired,* April 16, 2019.
17. GPT-3, "A Robot Wrote This Entire Article. Are You Scared Yet, Human?," *The Guardian,* September 8, 2020.
18. Megan Molteni, "The Chatbot Therapist Will See You Now," *Wired,* June 7, 2017.
19. Mikaela Law et al., "Developing Assistive Robots for People with Mild Cognitive Impairment and Mild Dementia: A Qualitative Study with Older Adults and Experts in Aged Care," *BMJ Open* (2019).
20. Eva G. Krumhuber et al., "Emotion Recognition from Posed and Spontaneous Dynamic Expressions: Human Observers Versus Machine Analysis,"*Emotion,* 2019.
21. Clive Thompson, "What Will Happen When Machines Write Songs Just as Well as Your Favorite Musician?," *Mother Jones,* March/April 2019.
22. Thuy Ong, "Amazon's New Algorithm Designs Clothing by Analyzing a Bunch of Pictures," *The Verge,* August 14, 2017.
23. Rob Dozier, "This Clothing Line Was Designed by AI,"*Vice,* June 3, 2019.

第３章　実際にはどうやって機械が仕事を奪うのか

1. Drew Harwell, "As Walmart Turns to Robots, It's the Human Workers Who Feel Like Machines," *Washington Post,* June 6, 2019.
2. Brian Merchant, "There's an Automation Crisis Underway Right Now, It's Just Mostly Invisible," *Gizmodo,* October 11, 2019.
3. Marco Iansiti and Karim R. Lakhani, *Competing in the Age of AI* (Boston: Harvard

14. Kenneth W. Regan et al., "Human and Computer Preferences at Chess," MPREF@AAAI, 2014.
15. H. James Wilson, Paul R. Daugherty, and Nicola Morini-Bianzino, "The Jobs That Artificial Intelligence Will Create," *Sloan Management Review*, Summer 2017.
16. Benjamin Pring et al., "21 Jobs of the Future: A Guide to Getting — and Staying — Employed for the Next 10 Years," Cognizant, 2017.

第２章　ロボットに奪われない仕事という神話

1. Michael Marshall, "10 Impossibilities Conquered by Science," *New Scientist,* April 3, 2008.
2. C.I.J.M. Stuart, *Report of the Fifteenth Annual* (*First International*) *Round Table Meeting on Linguistics and Language Studies* (Washington, D.C.: Georgetown University Press, 1964).
3. Corbin Davenport, "Google Translate Processes 143 Billion Words Every Day," Android Police, October 9, 2018.
4. "Airport Ticket Machines Gain," *New York Times,* July 9, 1984.
5. Stuart Armstrong, Kaj Sotala, and Séan S. ÓhÉigeartaigh, "The Errors, Insights, and Lessons of Famous AI Predictions — and What They Mean for the Future," *Journal of Experimental & Theoretical Artificial Intelligence* (2014).
6. Richard E. Susskind and Daniel Susskind, *The Future of the Professions: How Technology Will Transform the Work of Human Experts* (Oxford: Oxford University Press, 2015). (『プロフェッショナルの未来：AI、IoT時代に専門家が生き残る方法』ダニエル・サスカインド＆リチャード・サスカインド著、小林啓倫訳、朝日新聞出版)
7. Gallup and Northeastern University, "Optimism and Anxiety: Views on the Impact of Artificial Intelligence and Higher Education's Response," 2017.
8. Wendy MacNaughton, "What Truck Drivers Think About Autonomous Trucking," *New York Times,* May 30, 2019.
9. Mark Muro, Jacob Whiton, and Robert Maxim, "What Jobs Are Affected by AI? Better-Paid, Better-Educated Workers Face the Most Exposure," Brookings Institution, November 20, 2019.
10. Hugh Son, "JPMorgan Software Does in Seconds What Took Lawyers 360,000 Hours," Bloomberg, February 27, 2017.

第１部　機械

第１章　サブオプティミストの誕生

1. Byron Reese, The Fourth Age (New York: Atria Books, 2018).（『人類の歴史と AI の未来』バイロン・リース著、古谷美央訳、ディスカヴァー・トゥエンティワン、2019 年）
2. Will Knight, "AI Is Coming for Your Most Mind-Numbing Office Tasks," *Wired,* March 14, 2020.
3. Emma Griffin, *Liberty's Dawn: A People's History of the Industrial Revolution* (New Haven: Yale University Press, 2013).
4. Gregory Clark, "The Condition of the Working-Class in England, 1209–2003," *Journal of Political Economy* (2005).
5. Robert C. Allen, "Engels' Pause: Technical Change, Capital Accumulation, and Inequality," *Explorations in Economic History* (2008).
6. Daron Acemoglu and Pascual Restrepo, "Automation and New Tasks: How Technology Displaces and Reinstates Labor," *Journal of Economic Perspectives* (2019).
7. Kelemwork Cook, Duwain Pinder, Shelley Stewart, Amaka Uchegbu, and Jason Wright, "The Future of Work in Black America," McKinsey, October 4, 2019.
8. Carl Benedikt Frey, *The Technology Trap: Capital, Labor, and Power in the Age of Automation* (Princeton, N.J.: Princeton University Press, 2019).（『テクノロジーの世界経済史：ビル・ゲイツのパラドックス』カール・B・フレイ著、村井章子＆大野一訳、日経 BP、2020 年）
9. Jean M. Twenge, "Are Mental Health Issues on the Rise?,"*Psychology Today,* October 12, 2015.
10. David E. Nye, *Electrifying America: Social Meaning of a New Technology* (Cambridge, Mass.: MIT Press, 1990).
11. Mary L. Gray and Siddharth Suri, *Ghost Work: How to Stop Silicon Valley from Building a New Global Underclass* (New York: Houghton Mifflin Harcourt, 2019).
12. Li Yuan, "How Cheap Labor Drives China's A.I. Ambitions," *New York Times,* November 25, 2018.
13. Gagan Bansal et al., "Does the Whole Exceed Its Parts? The Effect of AI Explanations on Complementary Team Performance," *ArXiv,* June 2020.

原注

【訳者注：邦訳書が刊行されている場合にはその情報を記載するが、
本文中の引用文はすべて本書訳者による独自訳である】

はじめに

1. Kevin Roose, "The Hidden Automation Agenda of the Davos Elite," *New York Times,* January 25, 2019.
2. Sean Carroll, "Aristotle on Household Robots," *Discover,* September 28, 2010.
3. Evans Clark, "March of the Machine Makes Idle Hands," *New York Times,* February 26, 1928.
4. Brad Darrach, "Meet Shaky, the First Electronic Person," *Life,* November 20, 1970.
5. Carl Benedikt Frey and Michael A. Osborne, "The Future of Employment: How Susceptible Are Jobs to Computerisation?," Oxford Martin Programme on Technology and Employment, September 17, 2013.
6. Gallup and Northeastern University, "Optimism and Anxiety: Views on the Impact of Artificial Intelligence and Higher Education's Response," 2017.
7. Jacob Bunge and Jesse Newman, "Tyson Turns to Robot Butchers, Spurred by Coronavirus Outbreaks," *Wall Street Journal,* July 10, 2020.
8. Christopher Mims, "As E-Commerce Booms, Robots Pick Up Human Slack," *Wall Street Journal,* August 8, 2020.
9. Michael Corkery and David Gelles, "Robots Welcome to Take Over, as Pandemic Accelerates Automation," *New York Times,* April 10, 2020.
10. Chris Bradley, Martin Hirt, Sara Hudson, Nicholas Northcote, and Sven Smit, "The Great Acceleration," McKinsey, July 14, 2020.
11. Jared Spataro, "2 Years of Digital Transformation in 2 Months," Microsoft 365 (blog), April 30, 2020.
12. PA Media, "Bosses Speed Up Automation as Virus Keeps Workers Home," *The Guardian,* March 29, 2020.
13. Peter Dizikes, "The Changing World of Work,"*MIT News,* May 18, 2020.

著者略歴――――

ケビン・ルース　Kevin Roose

『ニューヨーク・タイムズ』紙のテクノロジー担当コラムニスト。ポッドキャスト番組『ラビットホール』でホストを務め、『ザ・デイリー』にもレギュラーゲストとして出演している。自動化とAI、ソーシャルメディア、偽情報とサイバーセキュリティー、デジタルウェルネスなどについて執筆とメディア出演により発信している。『ニューヨーク』誌の記者、テクノロジーを扱うTVドキュメンタリーシリーズ『リアル・フューチャー』の共同エグゼクティブプロデューサーの経験もある。２冊の著書「Young Money」と「The Unlikely Disciple」が『ニューヨーク・タイムズ』のベストセラーリスト入りしている。カリフォルニア州オークランド在住。

訳者略歴――――

田沢恭子　たざわ・きょうこ

翻訳家。お茶の水女子大学大学院人文科学研究科英文学専攻修士課程修了。翻訳書に『アルゴリズム思考術』（早川書房）、『戦争がつくった現代の食卓』、『ルーズな文化とタイトな文化』（以上、白揚社）など。

AIが職場にやってきた

機械まかせにならないための9つのルール

2023年2月16日　第1刷発行

著　者　ケビン・ルース
訳　者　田沢恭子
装幀者　上清涼太
発行者　藤田　博
発行所　株式会社 草思社
〒160-0022　東京都新宿区新宿1-10-1
電話　営業 03(4580)7676　編集 03(4580)7680
本文組版　有限会社 一企画
印刷所　中央精版印刷 株式会社
製本所　加藤製本 株式会社

ISBN978-4-7942-2629-7　Printed in Japan　検印省略

造本には十分注意しておりますが、万一、乱丁、落丁、印刷不良などがございましたら、ご面倒ですが、小社営業部宛にお送りください。送料小社負担にてお取替えさせていただきます。

草思社刊

シンギュラリティは怖くない
―ちょっと落ち着いて人工知能について考えよう

中西崇文 著

シンギュラリティはもう起きている。AIは合議制を取るようになる。AIでモバイルの時代は終わる――。刺激的な指摘と予測に満ちた、腑に落ちる、人工知能論。

本体 1,500円

すごく科学的
―SF映画で最新科学がわかる本

エドワーズ 著
ブルックス 著
藤崎百合 訳

絶滅種再生や人工知能、ブラックホールにゾンビまで。新旧名作SF映画10作品の科学に正面から切り込む、笑いと無駄に詳しい知識満載の一冊！

本体 1,800円

【文庫】操られる民主主義
―デジタル・テクノロジーはいかにして社会を破壊するか

バートレット 著
秋山勝 訳

ビッグデータで選挙民の投票行動が操れる？　デジタル技術の進化は自由意志を揺るがし、社会の断片化、格差を増大させ、民主主義の根幹をゆさぶると指摘する話題の書。

本体 950円

人はどこまで合理的か（上・下）

ピンカー 著
橘明美 訳

人はなぜこんなに賢く、こんなに愚かなのか。陰謀論や迷信を信じ、認知バイアスや党派的議論に陥る訳を解説。ハーバード大学の人気講義が教える、理性の働かせ方！

本体各 1,900円

＊定価は本体価格に消費税を加えた金額です。

草思社刊

予測不能の時代
——データが明かす新たな生き方、企業、そして幸せ

矢野和男 著

予測不能に変動する状況に柔軟に対応できる組織は、どうしたら作れるか。人々の幸せを計測する技術を開発した世界的研究者による、まったく新しいマネジメント論。

本体 1,800円

【文庫】データの見えざる手
——ウエアラブルセンサが明かす人間・組織・社会の法則

矢野和男 著

幸福は測れる。幸福感が上がると生産性も向上する——。AI、ビッグデータを駆使した新時代の生産性研究の名著、待望の文庫化。新たに「著者による解説」を追加。

本体 850円

【文庫】ソーシャル物理学
——「良いアイデアはいかに広がるか」の新しい科学

ペントランド 著
小林啓倫 訳

組織の集合知は「つながり」しだいで増幅し、生産性も上がる——。社会実験のビッグデータで、組織運営や制度設計、さらには社会科学に革命を起こす新理論の登場。

本体 1,200円

マインドセット
——「やればできる!」の研究

ドゥエック 著
今西康子 訳

成功と失敗、勝ち負けは、マインドセットで決まる。20年以上の膨大な調査から生まれた「成功心理学」の名著。スタンフォード大学発、世界的ベストセラー完全版!

本体 1,700円

＊定価は本体価格に消費税を加えた金額です。